Une Difficile Amitié

Marilyn Sachs

*U*ne *D*ifficile *A*mitié

Illustrations de Yves Beaujard

FRANCE LOISIRS
123, boulevard de Grenelle, Paris

Titre original : *Peter and Veronica*
Published by arrangement
with Doubleday and Company Inc. New York

Traduit de l'anglais (USA) par Rose-Marie Vassallo

Une édition du Club France Loisirs, Paris,
réalisée avec l'autorisation de Castor Poche
Flammarion.

ISSN : 1254-7557
ISBN : 2-7242-9321-5

Marilyn Sachs, l'auteur, est née à New York. Elle s'est occupée pendant une dizaine d'années de la section « livres pour enfants et adolescents » de la bibliothèque municipale de Brooklyn, avant d'exercer la même fonction à l'autre bout des États-Unis, à San-Francisco où elle vit avec son mari sculpteur et leurs deux enfants.

Aujourd'hui, Marilyn Sachs se consacre entièrement à son métier d'écrivain et les nombreux livres qu'elle a écrits, ont recueilli toutes sortes de récompenses et surtout un franc succès auprès de son public.

« Je venais tout juste d'apprendre à lire, dit-elle, lorsque j'ai décidé de devenir un écrivain. Les livres m'apportaient un tel plaisir ! La plupart d'entre eux sont nés de mes propres expériences ou de celles de mon entourage. »

Rose-Marie Vassallo, la traductrice, vit en Bretagne, près de la mer.

Lorsqu'on vient de lire un livre et d'y prendre plaisir, dit-elle, on éprouve le désir de le propager. Et l'on s'empresse de le prêter à qui semble pouvoir l'aimer. Mon travail de traductrice ressemble à cette démarche : J'essaie par là, tout simplement, de partager ce qui m'a plu. »

Yves Beaujard, l'illustrateur, a vécu pendant dix ans aux États-Unis où il a gravé timbres-poste, billets de banque et portraits officiels des présidents des États-Unis.

Revenu en France, il habite avec sa femme et leurs deux enfants (qui sont bilingues américain-français), près d'Arpajon, un village moderne à l'américaine, où les jardins n'ont pas de barrières. Il partage ses activités graphiques entre l'illustration et la gravure.

*Pour mes neveux
Steven, Dan Chris et Arthur
qui voulaient une histoire
dont le héros soit un garçon.*

1

Vendredi après-midi. Pas d'instruction religieuse. Quartier libre... Peter laissa choir ses
livres sur son lit, empoigna ses patins à roulettes et s'éclipsa, sans laisser seulement à sa
mère le temps de lui demander où il allait.

Sitôt dehors, il s'assit sur le perron, chaussa
ses patins et s'élança dans la rue. C'était
bizarre, quand on y pensait : pendant des
années, il n'avait plus sorti ses patins de leur
placard ; et puis le goût lui en était revenu, voilà
quelques semaines... Qui en avait eu l'idée le
premier ? Lui ? Ou son acolyte ? Peter ne se
souvenait plus. Mais tous les deux, depuis ce
jour, ne manquaient pas d'aller patiner chaque
fois qu'ils avaient un après-midi de libre. C'est-
à-dire, hélas, pas très souvent ces derniers
temps, avec cette école hébraïque qui vous

accaparait tous les après-midi après la classe — sauf le vendredi, justement.

Peter prit à la corde le virage au coin de la rue de Boston avant d'accélérer franchement.

— Hé, Peter ! Peter ! Attends-moi ! le héla soudain une voix.

Non sans regret, Peter laissa ses patins perdre de la vitesse, et il jeta un coup d'œil en arrière.

— Ah, c'est toi, Marv ? Salut ! dit-il, tandis que son camarade, essoufflé, le rattrapait en traînant derrière lui une bonne longueur de tuyau métallique. Dis donc, qu'est-ce que c'est que ça ?

Marv eut un regard radieux :

— Tu as vu ? Il y a même une soupape ! Et devine où je l'ai trouvé. Par terre ! Dans le terrain vague à côté du supermarché.

— Mmm-mmm... dit Peter, sans autre commentaire.

— Et où t'en vas-tu comme ça ? demanda Marv. Si tu venais plutôt chez moi ? On travaillerait à la cabane.

— Impossible. J'ai rendez-vous pour faire du patin... Dimanche, ça t'irait ? Tu travailleras dessus, dimanche ?

Marv tapotait sur son tuyau comme sur la tête d'un brave toutou.

— Je pense que oui. Ça irait.

— Alors, c'est d'accord. Je te verrai dimanche.

— Seulement, ne viens pas trop tôt. Tu sais bien qu'il faut que Papa dorme.

— Vu. Je serai là vers neuf heures.

Peter prit congé du menton et se remit en branle. Une poussée du pied droit, un long glissé du gauche, et le vent de la vitesse prenait déjà de la force... Pour traverser la rue, il fallait ralentir, mais une fois sur le trottoir d'en face on pouvait mettre toute la gomme ; du moins jusqu'au terminus, jusqu'au dernier immeuble du bloc. Là se tenait le rendez-vous.

Sur le perron, personne. Peter gravit donc les marches, toujours sur ses patins, les bras en balancier. En fait, il était sûr de lui et n'aurait pas eu besoin de ce geste. Il pénétra dans le couloir en ferraillant de toutes ses roulettes et s'approcha des sonnettes. Il pressa sur un bouton (R. Petronski — 4 D) selon le signal convenu :

DA DADADA DA

et la réponse bourdonna presque aussitôt :

DUM DUM...

Peter ressortit sur le perron pour attendre. Quelques minutes plus tard, perdant patience, il s'apprêtait à retourner à l'intérieur pour sonner le rappel lorsqu'il entendit qu'une fenêtre s'ouvrait à l'étage. Il leva le nez. C'était bien la bonne fenêtre, au troisième.

— B'alors ? Qu'est-ce que tu fabriques ? cria-t-il.

Pour toute réponse sortit une petite main, qui tenait un sac en papier. La main lâcha le sac.

Peter fit une embardée de côté. Le sac lui siffla aux oreilles et vint s'écraser par terre, dans une gerbe d'éclaboussures. Plein d'eau, il était plein d'eau !

Un petit rire ravi ponctua l'explosion, suivi d'un hurlement, puis du claquement de la fenêtre, refermée sans douceur.

Peter contourna précautionneusement les restes de la bombe à eau, descendit vivement les marches (bras en balancier) et attendit encore, vaguement perplexe, sur le trottoir. Après quelques minutes enfin la porte du couloir s'ouvrit et une grande fille apparut en trombe.

— Ah, le sale gosse ! dit-elle. Voilà qu'il est jaloux !

14

— Salut, Veronica. C'était Stanley ?

— Qui voudrais-tu que ce soit ? dit Veronica en plissant les paupières. Mais je lui ai flanqué une bonne raclée, tu peux me croire. Filons avant qu'il ne m'ait rattrapée !... Ça ne lui fera pas de mal, pour changer un peu, de rester avec Mary Rose ! Allons, viens, dépêche-toi !

Veronica, déjà, avait bouclé ses patins et elle s'élançait sur le trottoir, Peter sur les talons. Tous deux entendirent la fenêtre se rouvrir et une voix pleine de larmes lancer des appels désespérés :

— Veronica ! Je veux venir ! Je veux venir avec toi ! Veronicaaaaa...

Peter vit frémir les épaules de Veronica, mais elle prit de la vitesse et il accéléra lui aussi, passant le coin, traversant la rue, longeant d'une traite un bloc d'immeubles, tournant encore à angle droit, filant toujours, afin de se mettre (et au plus vite) hors de portée de ces cris de détresse.

— Ouf ! soupira Peter lorsqu'ils s'arrêtèrent enfin. Tu parles d'un fléau, celui-là !

Veronica, tout haletante, s'assit sur le rebord du trottoir et déposa ses patins à côté d'elle.

— Il n'arrête pas de me tirer la langue, poursuivait Peter. Et l'autre jour il m'a jeté une banane à la tête. Bon sang, qu'est-ce que je lui ai fait ?

Veronica réajustait les courroies de ses patins.

— Pas de quoi faire un plat, dit-elle. Si tu devais vivre avec lui vingt-quatre heures sur vingt-quatre !...

— Je crois que j'en mourrais.

Veronica s'attaquait déjà à la courroie de son deuxième patin. Peter continuait de déposer sa plainte :

— Et chaque fois qu'il me voit, il dit « Yah, yah, yah ! » Ça le prend souvent ? Je ne lui ai rien fait, moi ! Et il a toujours le nez qui coule...

— Dis donc ! coupa Veronica, dont les yeux soudain lançaient des éclairs. Ça t'ennuierait de lui ficher la paix, à mon frère ? Il n'a que cinq ans, imagine-toi ! Alors toi, tu... tu ferais bien de faire attention à ce que tu dis quand tu parles de lui !

— Hé ! ça ne va pas, non ? rugit Peter sur le même ton. Tu es de son côté ou quoi ?

Veronica eut un haussement d'épaules et se remit debout. Elle avait bien la tête de plus que

Peter et tous deux se toisèrent un moment, ne sachant trop quelle contenance prendre. Puis Veronica sourit :

— Bon, on y va ?

Et voilà. Plus rien à dire. C'était typique de Veronica, se disait Peter, tandis que tous deux filaient comme des bolides en direction de la grande place du marché, dans le bas de la pente : avec elle, on ne perdait pas de temps à discutailler pour décider où on allait et ce qu'on allait faire — on y allait et on le faisait. Pour le moment, par exemple, elle et Peter auraient pu tergiverser entre des tas de directions possibles. Ils auraient pu tourner à gauche et mettre le cap sur le parc, ou bien à droite pour foncer sur l'esplanade de la grande avenue, ou encore, au contraire, remonter la rue de Boston dans l'autre sens, en direction de la colline... Mais non. Sans problèmes, sans discussion, et en parfait accord, les voilà qui volaient tous deux vers le marché, le long de la rue Jennings.

Veronica ouvrait la voie. C'était presque toujours le cas, avec ses jambes démesurées. De temps à autre il ne la voyait plus, mais elle réapparaissait toujours aux passages critiques. Par exemple, à l'instant même, il y avait quelque chose sur le trottoir en travers de son chemin, et Peter pouvait la voir se grouper pour mieux bondir, étendre ses bras à l'horizontale et enjamber l'obstacle élégamment. Il se raidit, sachant fort bien que, même excellent patineur, il n'arrivait pas à la cheville de Veronica sur ce plan-là... L'obstacle se révéla être un camion-jouet et Peter, tout en fonçant dessus, concentra sur lui toutes ses forces d'attention... Maintenant ! Il banda ses muscles, tendit les bras, sauta... et atterrit sain et sauf de l'autre côté. Un peu branlant, peut-être, mais enfin, il y était arrivé.

Veronica, là, juste devant lui, venait de piquer en trombe sur deux filles de leur connaissance, et il rit de les voir s'écarter vivement l'une de l'autre, puis il les héla brièvement au passage, « Reba ! Edna ! Salut ! », tout en profitant de la voie ouverte entre elles deux par Veronica.

— Tu es complètement timbré, Peter Wedermeyer ? hurla Edna à son adresse, et Reba se mit à pouffer.

Reba n'arrêtait pas de pouffer, ces derniers temps, chaque fois qu'elle voyait Peter en compagnie de Veronica. Que c'était donc exaspérant ! De rage, il en chancela, et il dut reprendre son équilibre, les bras à l'horizontale, le regard vissé sur Veronica, tout en marmottant quelque chose sur les grosses filles qui ricanent tout le temps. La pente descendait raide, à présent, et Peter sentait ses genoux vaciller, tandis que devant lui, intrépide, Veronica filait sur un seul pied !

Parvenu enfin sans dommage au bas de la pente, il la chercha des yeux. Elle avait disparu, tant il y avait de monde (surtout des femmes chargées de provisions et encombrées d'enfants). Devant lui, c'était le marché, le marché en plein air, avec ses odeurs diverses, odeur de miel, de pain et de poisson fumé. Il humait goulûment tous ces parfums variés — c'était un endroit qui lui donnait toujours un peu faim — et il explorait du bout des doigts le fond de ses poches vides.

— Houlou, Peter ! Je suis là !

Veronica avait déjà traversé la rue et lui faisait signe de l'autre côté. Il manœuvra dans sa direction, à travers les encombrements du marché.

— Tu as de l'argent ? demanda-t-elle.

— Non. Et toi ?

— Non plus.

Tous deux firent croisière, lentement, le long de la rue, s'arrêtant parfois pour contempler, l'eau à la bouche, les étalages de halvah[1], de confiseries orientales, de noix et noisettes diverses, de toutes sortes de petites choses confites dans le vinaigre, et de friandises tentatrices qui couronnaient tant d'éventaires... Les cris des marchands se mélangeaient, se superposaient : « Trois pour un *nickel*[2] !... » « Deux pour un *penny*[3] !... » « Elle est fraîche, elle est fraîche, elle est fraîche... » Tandis que leur répondait, en surimpression, la voix railleuse des chalands : « Un *nickel* ? Deux *cents*, pas plus ! » ou encore « Eh, va donc, filou ! Elles sont pourries, tes noix de cajou ! »

Peter humait, rêveur, les effluves aigrelettes qui montaient d'un baril lorsque Veronica lui fourra quelque chose dans la main. C'était un morceau d'une sorte de pâte de fruit, et il vit qu'elle-même était en train d'en lécher un. Plutôt surpris, il jeta un rapide coup d'œil à l'étal du confiseur qu'ils venaient de longer,

---

1. Confiserie orientale d'origine turque, sorte de feuilletage composé de graines de sésame écrasées, mêlées à un sirop à consistance de miel.
2. Pièce de 5 cents.
3. Monnaie anglaise. Dans ce texte, il doit être considéré comme l'équivalent du cent (le centième du dollar).

puis à l'expression de Veronica. Elle arborait un sourire innocent, mais tira un coup sur le blouson de Peter comme une invitation à gagner rapidement des cieux plus hospitaliers.

Peter ne savait que penser... Peut-être avait-elle trouvé ces bonbons par terre ? Ou bien les avait-elle un peu aidés à tomber ? Avec Veronica, on ne savait jamais... Mais c'était trop dommage de laisser fondre dans sa main cette malheureuse pâte molle à l'alléchante odeur acidulée ; aussi Peter se mit-il à lécher — tiens, c'était à l'abricot — non sans remords pour commencer, puis avec un peu plus d'ardeur, jusqu'à y mettre la dent joyeusement, tout en accélérant le train.

Ils tournèrent au coin de rue suivant, et se mirent à patiner, avec une ardeur redoublée, sous l'ombre fuyante du métro aérien. Droit devant eux circulait un trolley, et Veronica se pencha en avant pour prendre de la vitesse. Le trolley s'arrêta, déposa un chargement de passagers et en embarqua d'autres ; Veronica et Peter, hors d'haleine, arrivèrent à sa hauteur juste comme il redémarrait. Veronica s'accrocha d'une main à l'arrière du véhicule, l'autre main tenant toujours sa précieuse sucette

molle. Peter laissa tomber ce qui restait de la
sienne, pour s'accrocher des deux mains.
C'était la deuxième fois seulement qu'il se faisait remorquer clandestinement par un trolley,
et tous les avertissements et les sinistres pré-
dictions des adultes, accumulés douze années
durant, sur le sort funeste guettant les enfants
qui s'accrochaient à l'arrière des trolleys,
toutes ces noires prophéties lui revenaient en
mémoire.

Le trolley s'ébranla avec un hoquet et
commença à les entraîner, tout doux pour
commencer, puis de plus en plus vite, le long
des rues pavées. C'était horrible, terrifiant et

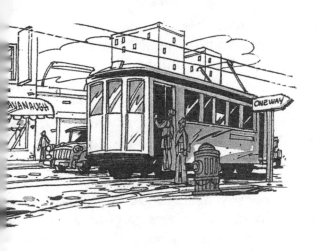

glorieux. Veronica fredonnait un chant de pionnier, mais Peter gardait son regard soudé à l'arrière du véhicule et n'osait pas tourner les yeux vers elle. Pourtant sa voix le rassurait un peu, et il ne put retenir un éclat de rire brusque, très bref et vaguement nerveux, tout en se cramponnant avec l'énergie du désespoir...

Il n'y avait pas très longtemps qu'ils s'entendaient bien, elle et lui. Quelques mois, à peine. Auparavant, ils étaient ennemis. Et cela remontait à la classe de huitième. Peter et sa famille venaient d'emménager dans le quartier, et Peter avait trouvé Veronica dans sa classe. Les autres l'avaient prévenu : c'était une brute en jupon, une Marie-j'ordonne comme pas deux, et personne ne lui tenait tête. D'ailleurs, insistaient-ils, elle cognait pour un rien, et celui qui l'en empêcherait n'était pas encore né. Eh bien, Peter lui avait tenu tête ! Lui, le plus petit de la classe. Il lui avait joué des tours pendables, et elle l'avait traqué pendant des semaines pour se venger, jusqu'à ce qu'il arrive à liguer deux ou trois autres garçons de son côté pour la rendre à la raison... Et c'est ainsi, paradoxalement, qu'avait débuté leur amitié. Parce que tout s'était terminé par un traité de paix, et c'était lui qui l'avait proposé. Il revoyait Veronica, debout, écumante, le dominant de toute sa stature, les poings serrés de rage. Elle avait semblé prête à le rouer de coups, puis prête à pleurer... Et enfin, tout à coup elle avait éclaté de rire et ils étaient amis, depuis.

Le trolley s'immobilisa avec une secousse. Peter et Veronica lâchèrent prise et reculèrent de quelques pas, pour le cas où le conducteur aurait eu l'idée saugrenue de venir voir ce qui se passait à l'arrière. Des passagers descendirent, d'autres montèrent, la clochette tinta et la croisière reprit. Le métro aérien, par moments, grinçait au-dessus de leurs têtes, et les roulettes de leurs patins faisaient gicler des gravillons.

Au bout d'un moment, bizarrement, le trolley s'arrêta au beau milieu de la rue.

— Filons ! siffla Veronica.

Et tous deux pivotèrent et s'enfuirent tandis que fusaient dans leur dos les injures du conducteur furieux, qui avait gagné à grands pas l'arrière de son véhicule.

Vite, une rue de traverse, un autre coin de rue, une bonne longueur d'une troisième... Veronica fonçait et Peter, hors d'haleine, se maintenait dans son sillage, le vent de la course lui battant le visage au point qu'il en perdait le souffle et n'avalait qu'à grand-peine de rares bouffées d'air glacé.

Son gosier le brûlait si fort que tout se mit à tourbillonner devant ses yeux, et qu'il alla se cramponner à un réverbère afin d'éviter le naufrage. Il l'avait empoigné des deux mains et tournoyait autour, à présent, sans pouvoir s'arrêter. Enfin il s'immobilisa, cherchant son souffle, mais sain et sauf.

Veronica le rejoignit et le contourna prudemment.

— Alors ? C'était chouette, non ?

Peter s'écarta un peu, pour lui laisser une petite place contre son pied de lampadaire. Ils se regardèrent et se mirent à rire. Elle le bouscula sans ménagement. Il chancela, mais ne tomba pas. Il lui rendit sa bourrade et elle perdit l'équilibre, sans pouvoir s'arrêter de rire.

Puis tous deux s'assirent sur le rebord du trottoir, les pieds cloués au sol, soudain lourds de fatigue.

Après un coup d'œil circulaire, Peter s'écria tout à coup :

— Mais... Je sais où nous sommes !

— Ah bon ? où donc ?

— Pas loin de chez mon oncle Jake. Il doit avoir sa boutique quelque part par là. Tu viens ?

Il se releva et repartit sur ses patins, suivi de près par Veronica. Il commençait à faire sombre et le froid pinçait fort. Des lumières s'allumaient çà et là, Peter réprima un frisson ; il était grand temps de rentrer.

— Hé ! Moi, il faut que je rentre à la maison ! cria Veronica dans son dos, et Peter répondit, par-dessus son épaule :

— Moi aussi, mais on n'en a pas pour long-temps.

La boutique de l'oncle, en effet, était là, toute proche et bien modeste.

CHEZ JAKES
Notre spécialité : les knishes[1]

disait simplement la vitrine.

— Viens, on entre ! invita Peter.

Il ouvrit la porte et une tiède bouffée à l'odeur de pain chaud les accueillit aussitôt, comme la terre promise.

— Moi je t'attends ici, dit Veronica sans entrer.

— Mais non, viens donc ! dit Peter en l'entraînant de force.

Un petit homme, au comptoir, leva la tête et leur sourit :

— Tiens, mais c'est Peter ! Bonsoir !

— Bonsoir, oncle Jake ! dit Peter. Il avait lâché la main de Veronica et s'avançait vers le comptoir sur ses patins.

_____

1. Knish (au pluriel knishes) : sorte de petit pain, rond ou carré, fourré d'une garniture (viande, fromage, légume ou fruit), et cuit au four ou à la friture.

— J'étais en train de fermer, lui dit son oncle. Quel bon vent t'amène ?

— Oh, nous étions en train de faire du patin dans le secteur...

— C'est très bien... Bonsoir, lança-t-il à Veronica, qui restait adossée à la porte. Et comment va Mama ? reprit-il à l'adresse de Peter.

— Elle va bien.

— Et Papa ?

— Il va bien.

— Et Rosalie ?

— Bien.

— Toujours rien de nouveau, pour Rosalie ?

— Du nouveau ? Comment ça ?

— Je veux dire : son nouvel ami...

— Il va bien.

— Rien de nouveau avec son nouvel ami ?

— Comment ça ?

— Rien de nouveau... conclut l'oncle Jake avec un soupir.

Il se retourna vers Veronica, qui n'avait pas quitté son poste, et l'invita gentiment :

— Mais entre donc, voyons, avance un peu... C'est très gentil à vous de venir me voir, vous deux ! Voulez-vous un knish ?

— Tu penses bien que oui ! s'écria Peter. Moi, en tout cas !...

28

— Un à quoi ?

— Il t'en reste au *kasha* [1] ?

L'oncle inspecta le plateau sous le comptoir, y choisit un knish, le plaça dans une serviette de papier et tendit le tout à Peter.

— Et toi, jeune fille, à quoi l'aimerais-tu ? Il en reste au kasha, au chou et à la pomme de terre.

— Mais qu'est-ce que c'est qu'un knish ? demanda Veronica.

— « Qu'est-ce que c'est qu'un knish ? » répéta l'oncle. N'aurais-tu jamais mangé de knish ?

Veronica fit signe que non.

— À la pomme de terre ! décida l'oncle en enveloppant dans une serviette une des boulettes de pâte. Tiens, goûte-moi ça.

Il la lui tendit par-dessus le comptoir ; Veronica la prit, la regarda, mais n'y mit pas la dent.

— Allons, vas-y, mange ! insista l'oncle Jake.

Veronica se décida à en grignoter une minuscule bouchée. L'oncle Jake et Peter,

---

1. Les knishes kasha sont garnis d'une viande kasher, c'est-à-dire conforme aux prescriptions de la religion juive.

guettant sa réaction, la regardèrent mâcher prudemment, puis avaler. Elle donna un second petit coup de dents.

— Ma foi, c'est bon, dit-elle.

Peter avait déjà terminé, et s'acharnait à récupérer les dernières miettes de pâte accrochées à sa serviette. L'oncle Jake, sans mot dire, lui tendit un autre knish.

— À quoi il est, le tien ? demanda Veronica.

— Kasha, dit Peter, la bouche pleine.

— Qu'est-ce que c'est ?

Pour toute réponse, Peter le lui tendit. Elle en prit une bouchée, fit la grimace et conclut :

— Je préfère le mien.

— Question d'habitude, dit l'oncle. C'est la première fois que tu y goûtes, voilà pourquoi. (Il lui tendit un second knish à la pomme de terre). La prochaine fois, peut-être, tu aimeras le kasha aussi.

— Je crois que nous devrions nous en aller, maintenant, dit Peter.

— Sûrement, approuva l'oncle. Il commence à faire nuit, et Mama risque de s'inquiéter. Dis-lui bonjour de ma part. Je passerai vous voir... Peut-être dimanche.

— Au revoir, oncle Jake, et merci pour les knishes !

— Au revoir, murmura Veronica. Et merci.

— Au revoir, au revoir. Merci d'être venus, et revenez me voir !

Sitôt qu'ils furent dehors, la froide nuit de mars leur sauta au visage, et ils se régalèrent encore un peu plus de ce qu'il leur restait de leurs knishes en se le fourrant juste sous le nez, dégustant le mélange de l'air froid et du chaud fumet.

— Il est drôlement gentil, ton oncle, dit Veronica dans un soupir. Plus gentil que le mien.

— J'ai des quantités d'oncles. Mais c'est bien lui le plus gentil. Oncle Jake... Comment s'appelle le tien ?

— Oncle Charles. Il tient un petit restaurant du côté de West Farms.

Peter fit halte pour mieux humer les toutes dernières miettes de l'éphémère festin.

— On devrait aller le voir, un jour, dit-il.

— Oh... dit Veronica, hésitante. Tu sais, ma mère ne lui parle plus, alors... Ça fait bien deux ans que je ne l'ai pas vu. Pourtant, un jour, il nous avait apporté une de ces tartes au citron meringuée... Énorme !

Elle se remit à patiner, aussitôt suivie de Peter qui venait d'avaler l'ultime miette.

— Allons bon, dit bientôt Peter.

Une goutte venait d'atterrir sur son nez, bientôt confirmée par une seconde, puis une troisième.

— Vive la pluie ! gloussa Veronica.

Mais avant qu'ils aient pu enfin se faire prendre en remorque par le premier trolley venu, pour le trajet du retour, la giboulée les avait douchés au point de leur plaquer leurs cheveux sur le crâne et de leur dégouliner dans le cou. Les rues scintillaient de mille reflets.

— Quand il pleut sur mon jardin... entonna Veronica.

Et Peter, cramponné des deux mains, riait sous l'averse.

2

— Peter ?

Il déposa ses patins à roulettes dans le hall, s'ébroua pour se débarrasser du plus gros de l'eau qui dégoulinait de toute sa personne, sortit de sa poche détrempée un mouchoir détrempé, tenta d'en éponger son visage et essora brièvement ses cheveux. Efforts bien inutiles, de toute façon, il le savait : elle allait faire un tas d'histoires...

Il s'avança dans la salle de séjour, un peu raide. Une étrange dame était assise là, sur le canapé, qui lui souriait en hochant la tête. Mais Mama jaillit de son siège et s'écria :

— Mais d'où sors-tu ? Tu es trempé ! Où donc étais-tu ?

— Oh, par là... dit Peter en restant dans le vague, et il crut prudent d'ajouter : Je pense que je ferais bien de me changer.

— Commence par m'enlever tout de suite ces chaussures et ces chaussettes ! dit sèchement sa mère.

S'il n'y avait pas eu l'invitée, visiblement, elle aurait continué jusqu'au bout l'énumération des diverses pièces vestimentaires, évidentes ou cachées, qu'il lui fallait retirer ; mais la politesse l'interdisait.

— C'est mon fils, dit-elle à l'invitée. Tu te souviens de Mme Rappaport, n'est-ce pas, Peter ?

— Euh, je crois que oui, dit obligeamment Peter. Bonsoir, madame.

— Il est charmant, dit la dame en souriant. Quel âge a-t-il ?

— Douze ans. (Mama gardait posée sur l'épaule de son fils une main chaude et potelée.) Il aura treize ans en mai.

— Exactement comme mon petit-fils. Le fils de Rachel. Mais le fils de Rachel est beaucoup plus grand.

La main de sa mère se raidit sur l'épaule et Peter insista :

— Il faut que j'aille me changer, Mama.

— Vous devriez lui donner beaucoup de lait, dit Mme Rappaport. Et aussi du foie de veau. Il grandirait plus vite, avec du foie de veau.

— Mais il n'a pas de problèmes, il mange bien, dit Mama un peu froidement. D'ailleurs, il grandit vite en ce moment. Il est comme était mon frère, Irving. Il n'a vraiment commencé sa croissance que vers treize ans, et maintenant il dépasse le mètre quatre-vingts. Ce sera la même chose pour mon Peter.

Peter se tortillait, mal à l'aise, sous la main maternelle. Être petit, déjà, cela n'avait rien d'agréable ; mais quand Mama se mettait à dire combien il grandissait vite, et jusqu'où il grandirait, les choses empiraient encore.

— Il faut que j'aille me changer, répétat-il.

Mais sa mère ne le lâchait pas.

— Il lit énormément. Il dévore. Et pas n'importe quoi ! Si vous voyiez ce qu'il lit !

— Bien comme mon petit-fils ! soulignait Mme Rappaport, nullement impressionnée.

— C'est le meilleur de sa classe, poursuivait Mama.

Peter, désespéré, tentait de se dégager :

— Ma, il faudrait que je me...

— Il a figuré au tableau d'honneur absolument tous les trimestres depuis qu'il va en classe, disait encore sa mère.

Mme Rappaport ne répondit pas. Mama crut reprendre l'avantage :

— Je peux vous montrer ses bulletins, je les ai tous conservés...

— C'est très bien, coupa fraîchement Mme Rappaport. (Elle regardait Peter.) Vas-tu bien au *cheder*[1] ?

— Oui-oui.

— Justement, j'aimerais vous dire ce qu'on m'a dit de lui à l'école hébraïque, l'autre jour, dit Mama. On m'a dit que Peter était de loin le meilleur, et même le meilleur des élèves jusqu'ici. On m'a dit que s'il voulait, il pourrait étudier pour devenir rabbin.

Mme Rappaport se leva :

— Il faut que je m'en aille.

— Restez encore un peu, protesta Mama. Sol, mon mari, ne devrait pas tarder à revenir de la synagogue.

Mme Rappaport resta debout, mais elle demanda à Peter :

— Il pleut, dehors ?

— À seaux, dit Peter.

— Mais que faisais-tu dehors par un temps pareil ?

---

1. Cheder : Instruction religieuse pour les jeunes juifs ; c'est l'école élémentaire où on leur apprend à lire en hébreu certains livres sacrés.

— Tu es allé à la bibliothèque ? suggéra Mama.

— Non, dit Peter. Je faisais du patin à roulettes, et il ne pleuvait pas, au départ.

— Du patin à roulettes ? dit Mme Rappaport, les sourcils levés. Un grand garçon comme toi ?

La main de sa mère se raidit une fois de plus sur son épaule.

— Des tas de copains de mon âge en font, dit Peter, mal à l'aise. L'amie avec qui j'étais a treize ans et demi.

— Un ami juif ?

— C'est une fille.

— Une fille juive ?

— Non...

— Peter ! s'écria Mama. Maintenant, tu vas aller te changer ! Et vite ! Tu es trempé comme une soupe ! Allons ! Qu'attends-tu donc ?

Elle lui imprima une secousse en direction de sa chambre, et tandis qu'il filait en toute hâte il entendit Mme Rappaport dire sentencieusement :

— Il a l'air charmant, mais vous devriez faire attention. Même à cet âge, on ne sait jamais...

Tous ses vêtements étaient à tordre. Peter les retira un à un et en enfila d'autres, secs. Mais il préféra rester dans sa chambre, à tourner en rond sans pouvoir tenir en place. Au bout d'un moment, il entrebâilla la porte et prêta l'oreille. Il entendait parler dans la salle de séjour, il y avait même la voix de Papa, à présent. Mais *elle* était encore là, aussi referma-t-il la porte doucement. Ne s'en irait-elle donc jamais ?

Il s'approcha de ses étagères, en retira un livre qui provenait de la bibliothèque municipale *(Serpents et autres reptiles)* et s'attabla à son bureau pour le lire. Mais il n'avait, pour le moment, pas la plus petite envie de lire, et il remit l'ouvrage en place. Il remarqua deux timbres qui traînaient par terre. Mama venait encore de faire le ménage, malmenant une fois de plus, dans sa chasse effrénée au grain de poussière, son pauvre album de timbres et tous ses autres livres. Il serra les dents, puis son cœur se mit à faire de grands bonds dans sa poitrine : et si elle *l*'avait découvert ?

Il se rua sur le volume M de son encyclopédie *Merveilles du savoir,* l'ouvrit fébrilement à la page 117, et poussa un soupir de soulagement. La précieuse brochure était toujours là, ce mince livret commandé par la poste contre la somme de vingt-cinq *cents,* sous le titre prometteur : COMMENT DÉVELOPPER VOTRE MUSCULATURE — Exercices de base — pour garçons.

Tout de même, il valait mieux lui trouver une autre cachette. Mais où ? Quel recoin pouvait être à l'abri de Mama ? La commode ? Hors de question. Elle n'arrêtait pas d'y remettre en place chaussettes et sous-vêtements. L'armoire-penderie, peut-être ? Non plus. Il lui arrivait, de temps à autre, d'en sortir tous les vêtements pour passer l'aspirateur ; tous les deux mois, environ... Sous le matelas, alors ? Mais non, même pas : dans sa hantise des bestioles, elle allait vaporiser là de l'insecticide !

Peter s'assit sur son lit et s'accorda un bref instant d'intense apitoiement sur son propre sort. N'existait-il donc nul endroit au monde qui fût à lui et rien qu'à lui ?

Et pourquoi pas son bureau ? Il avait hérité ce bureau de son cousin Jeffrey, maintenant adulte et marié. Le tiroir du milieu avait bien une serrure, mais pas de clé... Mais faire faire une clé n'avait rien d'impossible, après tout !

Peut-être que Marv pourrait l'aider à démonter la serrure ? Après quoi il serait facile d'apporter le tout chez un serrurier et de faire faire une clé. Génial !

Oui, mais voilà. Un autre problème surgit aussitôt : où cacher la clé ? Le sourire de Peter s'effaça, il se remit à réfléchir... La porter autour du cou ? Plutôt voyant. Et il détestait porter quelque chose autour du cou... La confier à Marv qui la garderait chez lui, et la lui rendrait chaque fois que nécessaire ? Mais Marv avait une mère, lui aussi, et tout aussi maniaque que Mama sur le chapitre du ménage. Il y avait bien Jack Tarr, dont la mère était morte, mais il habitait dans la 166e Rue, autrement dit beaucoup trop loin.

Donc, où cacherait-il cette clé ? Dans sa chaussure ? Ou bien plutôt... oui... merveilleux ! Il la tenait, sa cachette. Il ouvrit la fenêtre, allongea le bras, chercha à tâtons sur le mur, à droite... Oui, le vieux crochet y était toujours. Il y avait eu là, jadis, un fil pour faire sécher le linge, mais il n'en restait que le crochet. Ce serait facile d'y suspendre la clé, attachée à une ficelle. Jamais Mama ne l'y trouverait.

Tout en y songeant, Peter remit la brochure dans son encyclopédie, et replaça le tout sur l'étagère. Puisqu'elle venait juste de dépoussiérer, il pouvait tabler sur une semaine de tranquillité, un sursis qu'il mettrait à profit pour se faire faire cette clé.

Il ramassa les timbres par terre, sortit son album de timbres et s'installa à son bureau. L'un d'eux provenait de Madagascar et l'autre du Liechtenstein. Peter remit une gommette au dos de chacun et les recolla en place. Il collectionnait les timbres depuis qu'il avait neuf ans, et sa mère avait commencé par dire que c'était une perte de temps et d'argent. Mais il lui avait dit et répété que le président Lincoln lui-même avait jadis collectionné les timbres, et cela l'avait fléchie. Là-dessus, il avait gagné un deuxième prix dans un concours pour collectionneurs, et elle était devenue, du coup, enthousiaste. Ça, c'était bien Mama : prix et récompenses la rendaient enthousiaste.

Il tourna les pages de l'album, retrouva les planches consacrées aux timbres des États-Unis, et se plongea dans la contemplation de la page commémorative. Son préféré, là-dedans, était le timbre célébrant le premier jour de la grande foire mondiale, sorti en 1939, deux ans plus tôt. Il l'avait échangé, avec Joey Pincus, contre douze timbres du Brésil, trois du Canada, quatre de l'Afrique du Sud, plus cinquante *cents* pour faire bonne mesure.

On avait frappé à sa porte ! Peter se raidit et demanda, soupçonneux :

— Qui va là ?

— C'est moi, gros canard ! Je peux entrer ? C'était Rosalie.

— Ah ! Rosalie ! (Peter sauta sur ses pieds pour ouvrir à sa sœur.) Entre vite, chuchota-t-il. Est-elle toujours ici ?

Rosalie n'avait pas l'air aussi gai que d'habitude.

— Oui, répondit-elle en fermant soigneusement la porte. Quel pot de colle ! Et quelle belette !...

Peter regarda sa sœur aînée avec compassion. Mme Rappaport lui avait sans doute posé une kyrielle de questions sur Bernard, son ami. Il devait y avoir à peu près un an que Rosalie fréquentait Bernard, mais la situation ne semblait guère évoluer entre eux.

Rosalie avait vingt-trois ans et travaillait comme comptable dans une fabrique de boutons. Elle était de petite taille, plutôt rondelette, et son visage aux joues roses avait quelque chose de doux et pensif. Les gens disaient volontiers d'elle qu'elle était *charmante,* ce qui voulait dire qu'ils ne la trouvaient pas *jolie.*

— Cela dit, poursuivit Rosalie, que fait mon frérot chéri ?

— Oh, dit Peter, en désignant du menton l'album de timbres, pas grand-chose ; je suis en train de regarder mes timbres...

Rosalie s'approcha du bureau et s'absorba dans la contemplation de l'album ouvert.

— Pas mal, dit-elle. Tu en as de nouveaux ?

— Non, je n'ai pas eu le temps de m'occuper de ça ces temps derniers... Trop à faire...

— Tu as vraiment beaucoup de travail, en ce moment, n'est-ce pas, gros canard ? Surtout avec la préparation de ta *barmitzva*[1]. (Rosalie lui tapotait l'épaule, le regard tendre et rêveur.) Mon petit frère chéri, comme tu grandis vite...

Peter se dégagea prudemment de son étreinte. Rosalie était bien gentille et irrépro-

-----

1. Cérémonie juive célébrant la maturité religieuse d'un garçon (à treize ans).

chable, mais par moments, tout comme Mama, elle était effroyablement sentimentale.

— Est-ce que Bernard vient, ce soir ? demanda-t-il pour changer de sujet.

Bernard venait régulièrement pour le dîner tous les vendredis soirs depuis pas mal de temps, aussi était-ce une question sans risque.

— Oui, dit Rosalie en regardant sa montre. Il sera là dans quelques minutes, et je ferais bien d'aller me préparer. En principe, ce soir, nous allons au concert ; mais si cette dame ne finit pas par s'en aller, nous n'aurons jamais le temps de souper.

Le claquement sonore d'une porte refermée leur fit échanger un sourire de soulagement. Peter ne put se retenir d'ouvrir la porte de sa chambre pour s'enquérir bruyamment :

— Ça y est, Mama ? Elle est partie ?

Et sans attendre la réponse, il fit irruption dans la salle de séjour. Mme Rappaport était là, debout, qui enfilait son manteau.

— Non. ELLE est toujours là, dit-elle d'une voix acide. Mais ELLE s'en va.

— Voyons, Peter, tu n'as pas honte ? dit Mama sur un ton très las.

Elle prit la main de Mme Rappaport et dit :

— Vous savez ce que c'est. Il doit avoir faim et il...

— Oui, coupa sec Mme Rappaport de toute sa hauteur. Je sais ce que c'est. Bonsoir, Peter. Tâche d'être un bon garçon et de faire honneur à tes parents. Bonsoir, bonsoir.

Mama l'accompagna jusqu'à la porte, mais lorsqu'elle revint son visage lançait des éclairs.

— En voilà des mœurs ! criait-elle. Traiter les invités de cette façon ! J'ai cru que j'allais m'évanouir de honte !

— Écoute, se défendit Peter, ce n'est pas ma faute : quand j'ai entendu la porte claquer, j'ai bien cru qu'elle était partie ! Et d'ailleurs, je la déteste.

— Tu la détestes, et alors ? Moi non plus je ne l'aime pas, toujours en train de vanter les mérites de son petit-fils, ce grand dadais ! N'empêche que quand elle est ici, c'est notre invitée, et ce ne sont pas des manières avec les invités... En plus, maintenant, elle va raconter partout quel fils mal élevé nous avons.

— Qui peut se soucier de ce qu'elle raconte ?

— Moi, justement.

La porte s'ouvrit là-dessus et le père de Peter entra.

— Elle est partie ? Dieu soit loué. Il a fallu que je sorte pour respirer un peu d'air frais, je n'y tenais plus... Ah, Peter ! Comment va mon garçon ?

— Ça va, Papa.

— Non, ça ne va pas, intervint sa mère. Il s'est montré très incorrect vis-à-vis de Mme Rappaport ; et par-dessus le marché il n'arrête pas de galoper dieu sait où avec une espèce de fille — une gamine guère recommandable — et il faut que tu lui dises d'arrêter tout de suite.

— Arrête tout de suite ! dit Papa.

Et père et fils éclatèrent de rire. Mama leva un doigt en l'air et parut près d'exploser — mais quelqu'un sonna à la porte d'entrée ; le doigt maternel retomba, et Mama, instantanément, prit cette extraordinaire expression de sérieux qu'elle revêtait toujours lorsqu'un fiancé possible se présentait pour sa fille.

— On reparlera de tout ça... chuchotat-elle. Puis, à voix haute, suavement, elle appela : Rosalie, houhou ! Tu vas ouvrir ? C'est Bernard !

« Sauvé par la sonnette », se dit Peter, tout en retournant dans sa chambre pour ranger son album de timbres et surtout vérifier que le volume M de *Merveilles du savoir* ne sortait pas de l'alignement...

3

Son ami Marv Green avait du génie. De cela, Peter était sûr. Une autre chose certaine était que personne, rigoureusement personne — y compris Marv lui-même et sa famille — ne s'en était encore rendu compte.

Ce dimanche-là, dès neuf heures, par un matin de crachin et de vent, Peter traversait la rue en direction de chez Marv. Il n'y avait, dans cette rue, que deux maisons individuelles, et Marv habitait l'une d'elles. Tous les autres bâtiments étaient des immeubles à plusieurs étages, composés d'appartements, et les deux petites maisons dc brique grise, soudées comme deux sœurs siamoises, semblaient dangereusement coincées entre leurs voisins géants.

Toutes deux étaient dotées d'un escalier extérieur, en bois, menant à l'entrée principale. L'une d'elles avait un petit jardin d'un côté des marches, bordé de troènes taillés avec amour. L'autre avait un fossé en contrebas, tout comme une douve, qu'enjambait un pont baroque, fait de ciment, de pierres, de morceaux de poterie et de bouteilles de soda noyés dans la masse. Le fossé, pour le moment, ne contenait que quelques flaques d'eau de pluie ; mais en été il redeviendrait l'unique piscine du voisinage.

Peter franchit le pont d'un pas rapide et descendit en hâte la volée de marches menant au sous-sol. La porte était ouverte, comme toujours, et Peter traversa rapidement le couloir qui débouchait directement sur l'arrière-cour. C'était là d'ordinaire, que l'on retrouvait Marv. Peter se demandait parfois comment Marv aurait pu survivre, s'il avait dû habiter dans un appartement, sans ce merveilleux champ de manœuvres qu'était pour lui le jardinet. Autant essayer d'imaginer un aigle sans grands espaces ou une baleine sans eau.

Marv était un bricoleur, ou plutôt un bâtisseur-né. Il était toujours en train de construire quelque chose. Ou alors, s'il ne construisait pas, c'est qu'il bâtissait des plans. À l'école, il était à la traîne, toujours avec les cancres, faute d'attention, disaient ses maîtres. Il était nul en maths, ce qui ne l'avait pas empêché d'élaborer les plans compliqués du monte-charge qui culminait là, à plus de quatre mètres de haut, dans l'un des angles de la cour. Et il n'avait mis que trois mois à le construire. Peter lui-même, l'un des as de la classe de maths, avait trouvé les calculs bien trop compliqués, quand il avait voulu l'aider ! Marv posait les opérations à sa manière à lui, et Peter n'y comprenait goutte. Mais Marv se montrait, par bonheur, un maître d'œuvre indulgent et patient, si bien que Peter avait pu l'aider quand même ; il s'était contenté de porter le bois, de planter des clous et visser des écrous là où son copain lui indiquait de le faire... À présent que le monte-charge était terminé, Marv avait l'intention de bâtir quelque chose autour.

Marv se trouvait bel et bien dans la cour comme prévu, mais il n'y était pas seul ; il y avait là aussi Frances, sa sœur de dix-huit ans. Marv avait une autre sœur aînée, de quinze ans celle-là, et qui était tellement jolie que Peter préférait l'éviter tant elle le mettait mal à l'aise. Frances devait être assez jolie elle-même, aussi, mais il était difficile d'en juger, parce qu'elle était tout le temps en train de crier après son frère. Et ce matin-là ne faisait pas exception à la règle.

— Je t'ai déjà dit et répété que cette portion du jardin m'appartient ! criait-elle sur un ton aigu. Des centaines de fois peut-être !

— Je sais, je sais, disait tristement Marv. Je suis désolé, je l'avais oublié. La prochaine fois...

— La prochaine fois ! siffla Frances entre ses dents. Toujours la prochaine fois. Tu as commencé par déterrer tous mes pauvres narcisses quand tu as creusé pour faire cet abominable bassin à poissons rouges, et d'une ! Après, tu as construit cette hideuse niche-palace pour Queenie (qui ne met jamais les pattes dedans), en détruisant tous les iris, et de deux ! Ensuite, tu as creusé cet odieux fossé à l'entrée, pour que tous les chats du quartier aillent se noyer dedans...

— Ce n'était pas pour ça, d'abord, rectifia Marv d'une voix douce, et il ne s'en est noyé que deux.

— ... et pour ce faire, tu as fait sauter les rosiers, et de trois. Et maintenant, après ces portes tournantes qui ne mènent nulle part, sauf sur mon massif de cannas, ce stupide

monte-charge ! Ou peut-être est-ce un ascen-
seur ? Mais pour monter où, je vous le
demande. En plein ciel ? Regarde-moi un peu
ce jardin. C'est écœurant. Je n'ose inviter
personne à la maison, de peur que mes amis
ne jettent un coup d'œil à la fenêtre pour apercevoir cette cour d'asile de fous. Et chaque fois
que je plante quelque chose, crac ! tu me le
déterres.

— Frances, dit Marv d'une voix douce et
patiente, tu n'aimerais pas que je te bricole
une jolie jardinière ?

— Non ! cria Frances sur un ton suraigu.

— Frances, poursuivit Marv, que les ultra-
sons de sa sœur avaient fait cligner des
yeux, je te ferai deux jardinières. Tu pourras
les mettre sur le rebord des fenêtres de ta
chambre et y planter tout ce que tu voudras.
En toute sécurité.

— Je m'en moque, de tes jardinières !
explosa Frances. Tout ce que je veux, c'est un
petit bout de ce jardin, à moi. C'est tout.

Mais Marv poursuivait son rêve :

— Je peux te faire deux jardinières, et
graver sur l'une FRANCES, et sur l'autre
GREEN. Ou bien je peux confectionner les
lettres avec des bouts de verre. Du verre

bleu pour FRANCES, et du rose, peut-être, pour GREEN — ou bien, non, pour GREEN[1], du vert (il pouffa). Et je peux même, encore mieux, bricoler un éclairage à l'intérieur des lettres de verre, et faire clignoter une lampe qui...

— Ma-man ! hurla Frances, excédée, au bord de la crise de nerfs. Maman !

Une fenêtre s'ouvrit sur la cour et la tête de Mme Green apparut.

— Moins de bruit, voyons, Frances ! Tu vas réveiller Papa. Tiens, bonjour, Peter.

— Maman, écoute, fais quelque chose, criait Frances. Empêche-le de saccager mes fleurs !

— Chut, moins de bruit, les enfants... Et puis, rentrez donc, il commence à pleuvoir.

Mais Frances ne désarmait pas :

— J'ai autant de droits que lui sur ce bout de jardin. Et si tu ne l'obliges pas à respecter mes droits, je serai obligée de prendre des mesures énergiques !

Elle désignait son frère d'un doigt accusateur, figée dans une pose d'ange redresseur de torts. Mme Green parut hésiter, considéra la

---

1. Green veut dire *vert* en anglais.

54

situation d'un coup d'œil circulaire et embarrassé, puis son expression s'éclaira :

— Venez déjeuner, tous ! Je vais faire des crêpes.

— Oh, Maman ! protesta Frances.

Et tapant du pied, elle quitta la cour, en claquant derrière elle la porte du cellier.

Mme Green soupira.

— Elle est très nerveuse, expliqua-t-elle à l'intention de Peter. Allons, rentre, Marvin, et viens manger.

— Oh, Ma, je n'ai pas le temps. Tu n'as qu'à m'envoyer par la fenêtre un petit pain beurré, et peut-être aussi du fromage et un oignon, et je mangerai ça ici pour gagner du temps.

Mme Green fit signe qu'elle acceptait, sourit et se retira, fermant la fenêtre derrière elle. Ce n'était pas tellement, Peter le savait, qu'elle appréciât spécialement les réalisations de son fils ; la plupart du temps, quand Marv lui faisait admirer sa création du moment, elle répondait quelque chose du genre. « Pas mal, mais ne va pas tomber » ou encore « C'est très bien, mais mets ton gilet, tu vas prendre froid ». Simplement, elle était d'un naturel accommodant, et cherchait plus que tout à éviter les discussions inutiles. Tant que Marv était heureux, et qu'il ne faisait pas trop de bruit, elle s'estimait satisfaite et lui laissait la paix.

Peu après, tout en avalant son petit pain, Marv s'affairait à préparer les fondations de sa nouvelle construction. Trouver le bois ne posait pas de problème. Depuis des années (depuis que Peter le connaissait), Marv bâtissait et rebâtissait, si bien que la cour ressemblait au rêve (ou au cauchemar) d'un archéologue, avec des couches et des sous-couches des ruines d'antiques monuments. Lorsqu'un nouveau projet voyait le jour, Marv n'avait qu'à récupérer la couche supérieure de ces glorieux vestiges.

Vers la fin de la matinée, ils avaient déjà posé le plancher, et s'attaquaient aux premiers piliers de soutènement qui supporteraient les murs. Il avait cessé de pleuvoir, et l'air autour d'eux sentait bon le bois mouillé.

M. Green apparut soudain à la porte du cellier et Marv l'appela énergiquement :

— Pa, viens voir ! Regarde ! Nous avons déjà terminé le plancher.

M. Green s'approcha du chantier, inspecta le plancher et rit tout bas. C'était un homme très occupé, le père de Marv. En plus de ses heures de travail — il était boulanger — il

consacrait beaucoup de temps à ses activités de syndicaliste. Tout récemment, de plus, il avait eu des ennuis de santé, et son teint était pâle et son visage émacié.

— Joli travail, dit-il. Peut-être qu'un de ces jours, si tu as une minute, tu pourrais jeter un coup d'œil au robinet d'eau chaude de la salle de bains. Il recommence à fuir.

Marv se frappa le crâne :

— J'oublie toujours d'acheter cette rondelle. Demain, sans faute, il faudra que j'y pense en sortant de l'école.

— Parfait ! dit M. Green, en posant une main sur l'épaule de son fils. Et autre chose encore : si tu essayais de laisser à Frances un petit bout de jardin à elle ? Elle est vraiment très contrariée et je ne peux pas lui en vouloir. Elle adore les fleurs, tu sais, et elle a bien le droit d'avoir sa petite part de ce bout de terrain.

Marv baissa la tête. Un seul mot de son père le touchait davantage que dix mille de sa mère.

— Bon, alors, tu y songeras ? dit doucement M. Green. Tu essaieras de lui laisser sa place ?

— J'essaierai, Papa, promit Marv, sincère. J'essaierai... Peut-être que si je construisais une petite clôture pour délimiter son secteur ça m'empêcherait d'oublier ? Oui, voilà, bonne idée ! (Son visage s'était éclairé.) J'ai de quoi faire des piquets, j'ai du grillage, je vais lui faire un — non, plutôt deux ! — deux enclos ronds pour ses fleurs.

— Tu es un brave garçon, dit M. Green en se dirigeant vers le cellier.

— Papa ! le rappela Marv comme s'il voulait le retenir. Papa, tu ne vas nulle part, si ?

— Eh, il faut que je passe au syndicat.

— Oh.

À la porte du cellier, M. Green marqua un temps d'hésitation et se retourna vers son fils :

— Aimerais-tu venir, Marvin ?

— Oh oui, Pa. Je range, je me lave les mains et j'arrive.

Il ne se l'était pas fait dire deux fois ! M. Green sourit.

— Parfait. Je ne pense pas en avoir pour longtemps là-bas, et ensuite, si tu veux, nous pourrons peut-être aller faire une balade.

— Il y a un nouveau bateau à l'arsenal, dit Marv avec conviction. J'ai vu ça dans le journal. C'est un porte-avions, et on peut le visiter.

— Allons-y pour le porte-avions, dit M. Green en disparaissant à l'intérieur du cellier, tandis que Marv s'activait à ranger ses outils.

— Bon, je crois que je vais retourner chez moi, dit bien haut Peter, dans l'espoir de se faire inviter.

— Tu peux rester ici et continuer sur le chantier, si tu veux ! lui offrit gentiment Marv.

—- Euh, non, je n'aime pas rester tout seul, dit Peter en attendant toujours.

Mais Marv évitait son regard.

— Demain, alors, si tu veux ?

— Demain, il faut que j'aille au *cheder*. Alors qu'aujourd'hui je n'ai vraiment rien à faire...

Marv finit de rassembler ses outils en toute hâte. Il était clair que Peter ne serait pas invité.

— Je rentre à la maison, insista-t-il encore une fois, en suivant Marv qui quittait la cour.

Une fois dans le cellier, Marv déposa ses outils et dit à Peter, presque humblement :

— Écoute, il ne faut pas m'en vouloir, mais tu sais...

— Pas grave, dit Peter d'une voix qu'il voulait légère. (Il savait très bien que Marv n'avait pas souvent la joie d'être seul avec son père.) À bientôt !

Il traversa le sous-sol, franchit le petit pont et rentra chez lui. Tout en gravissant lentement les marches du perron, il se demandait ce qu'il allait faire. Peut-être parler du porte-avions à son père, lui aussi...

Ses parents étaient tous deux dans la cuisine. Sa mère préparait le repas, son père était assis à la table de la cuisine, un gros livre devant lui.

— Papa, dit Peter en entrant, il y a un nouveau bateau à l'arsenal. Tu n'aimerais pas aller le voir ?

Son père leva les yeux.

— Un bateau ? Pourquoi aller voir un bateau ?

— Ne tracasse donc pas ton père, dit sa mère. Laisse-le se reposer un peu.

— Mais c'est un gros, un porte-avions, dit Peter désarçonné. Marv et son père vont le voir, alors je m'étais dit...

Papa sourit et secoua la tête :

— Non, je n'y tiens pas tellement. Mais tu peux y aller avec eux, si tu veux.

Et il se replongea dans sa lecture.

Peter réfléchit un moment, puis s'en fut chercher ses patins à roulettes.

— Où vas-tu, Peter ? le héla sa mère comme il retraversait la cuisine pour sortir.

— Faire du patin.

— Je lui ai déjà dit que tu ne pouvais pas y aller.

— À qui ?

— À cette fille.

Peter revint dans la cuisine.

— Parce que Veronica est venue ici ce matin ? Pourquoi ne me l'as-tu pas dit ?

Sa mère faisait couler de l'eau dans l'évier.

— Parce que tu ne me l'as pas demandé.

— Enfin, Ma, pourquoi ne lui as-tu pas dit où j'étais !

— Où tu étais ? Mais je n'en savais rien.

— Si, tu le savais. Je t'avais dit que j'allais chez Marv.

— Je l'avais oublié.

Peter laissa tomber ses patins sur le sol et son père, avec un sursaut, émergea de sa lecture.

— Voilà, maintenant dérange ton père ! s'écria Mama. Pourquoi ne retournes-tu pas jouer avec Marvin ?

— Maintenant, tu me dis d'aller jouer avec Marvin ; mais avant, il n'y a pas si longtemps, tu disais que tu n'aimais pas que je joue avec lui, parce qu'il était stupide et tout. Comment se fait-il que tu aies changé d'avis comme ça, subitement ? Comment se fait-il que maintenant ce soit toi qui me dises d'aller jouer avec Marvin ?

— Ah, tu veux le savoir ? dit sa mère en se détournant de son évier pour lui faire face, rouge de colère. Eh bien, Marvin n'est peut-être pas le plus futé des camarades possibles, mais c'est tout de même un brave garçon, et bien élevé. Je n'en dirais pas autant de cette espèce de grande sauvageonne que tu ne lâches plus d'une semelle ces temps derniers. Et ça t'est venu tout d'un coup, toi, un garçon intelligent, bien élevé. Qu'as-tu à faire avec elle, toi, un jeune juif de bonne famille, avec une... une...

— Voilà ! s'écria Peter triomphant. Nous y sommes ! Il fallait le dire tout de suite : c'est parce qu'elle n'est pas juive, n'est-ce pas ? Mama, tu es bourrée de préjugés, tu juges sans savoir, voilà ce qu'il y a.

Le père de Peter referma son livre et poussa un gros soupir.

— Des préjugés ! Des préjugés ! criait Mme Wedemeyer. Dire qu'il m'a fallu vivre pour voir ce jour, ce jour où mon fils m'insulte et m'accuse d'avoir des préjugés ! Et tout ça pour défendre qui ? Une grande gamine stupide dont on ne sait d'où elle sort et qui n'est même pas jolie !

— Elle n'est pas stupide et c'est mon amie. En réalité, avoue-le : elle pourrait bien être un

63

cygne que ça n'y changerait rien à rien ; tout ce qu'il y a, c'est qu'elle n'est pas juive. Eh bien tant pis. C'est mon amie, je m'entends bien avec elle, et pour le reste je m'en moque.

Son père commençait à rire sous cape.

— « *Ton ami ne reniera pas...* » cita-t-il en yiddish[1].

Le père de Peter semblait avoir une citation pour toute circonstance, grâce à une longue fréquentation des livres religieux. Puis, s'adressant à son épouse :

— Tu fais des histoires pour rien, Jennie. Laisse donc ce garçon tranquille. Dis-toi qu'il est assez grand pour choisir ses amis lui-même. Ne va donc pas chercher les ennuis.

Il y eut un silence. M. Wedemeyer rouvrit son livre, Peter ramassa ses patins. Alors, sa mère explosa :

— Et tu te prends pour un bon père ? Toujours assis là, le nez dans tes bouquins, et sans jamais t'occuper de lui ! Comme s'il ne t'intéressait pas ! Pourquoi ne l'emmènes-tu

---

1. Langue dérivée du haut allemand, que l'on écrit d'ordinaire en caractères hébreux, parlée dans les communautés juives d'Europe centrale et orientale, ou émigrées aux États-Unis.

jamais nulle part ? Maintenant, par exemple ?
Emmène-le donc voir... voir ce bateau.

— Les bateaux ne m'intéressent pas...
plaida M. Wedemcyer sur le ton de la plaisanterie.

— Seulement, où il va, avec qui il joue, ça
ne t'intéresse pas non plus, c'est ça l'ennui !
Et tu ne peux pas savoir quelle genre de fille
c'est, celle-là. C'est de la graine de délinquant
juvénile. Moi j'ai fait ma petite enquête. J'ai
interrogé les gens, dans le quartier. Il s'imagine
que je ne la connais pas, mais tu peux me
croire, moi je les surveille ! Alors que toi, tu
restes là, toujours assis à relire les mêmes
livres, encore et toujours !

M. Wedemeyer se leva, prit son livre et,
toujours en yiddish, cita dignement :

— *Mieux vaut vivre dans un coin reculé,
sous les toits,*

*Qu'au cœur d'une maison régie par une
femme acariâtre...*

Il n'avait pas plutôt quitté la pièce que
Mme Wedemeyer fondait en larmes. Peter
ramassa ses patins et s'enfuit en courant.

4

— J'ai changé d'avis, disait Veronica. Je n'entre pas.

Peter avait déjà sa main sur la porte, mais il se retourna et dit, furieux :

— Mais enfin, pourquoi ?

Quelle journée, décidément ! D'abord, cet accrochage avec sa mère, ensuite Stanley qui avait pleuré comme un veau, et maintenant, après des kilomètres sur patins pour atteindre West Farms, Veronica qui se dégonflait !

— Mais pourquoi ?

Elle haussa les épaules.

— D'abord, ce n'était pas mon idée. C'est toi qui as essayé de me convaincre. Et je n'ai plus envie. C'est tout. On s'en va.

La porte du restaurant s'ouvrit, et Peter dut s'écarter pour laisser passer un grand bonhomme qui sortait, un cure-dents aux lèvres. Peter eut le temps d'entrapercevoir l'intérieur du restaurant et de respirer une tiède bouffée à l'odeur d'oignons et de hamburger. Veronica sortait de table, peut-être, mais pas lui ; et cela le renforçait dans son désir de jouer les réconciliateurs entre elle et cet oncle restaurateur.

L'homme descendit lentement les marches et Peter dit, persuasif :

— Jetons juste un petit coup d'œil à l'intérieur. Rien ne nous oblige à y rester.

— Non !

— Tu n'as rien à y perdre. Et ton oncle sera sûrement si heureux de te revoir qu'il...

Peter s'en léchait les babines, d'imaginer comment cet oncle allait s'y prendre pour démontrer à sa nièce combien il était heureux de la revoir.

— Non, et non.

— Pourquoi ?

— Parce qu'il y a bien quatre ans que je ne l'ai pas vu, et la dernière fois que je l'ai vu il se disputait avec ma mère, alors pourquoi voudrais-tu que je me dérange pour essayer de le voir ?

Les parents de Veronica étaient divorcés. Sa mère s'était remariée, ainsi que son père, qui habitait maintenant à Las Vegas. Veronica ne l'avait pas revu depuis qu'elle était toute petite. Elle et sa sœur, Mary Rose, étaient les enfants du premier mariage de sa mère, et Stanley était leur demi-frère. Quant à l'oncle à qui appartenait le restaurant devant lequel ils étaient en train de discuter, c'était le frère aîné du père de Veronica.

— Bon, alors ? s'entêtait Peter. On fait juste un petit tour à l'intérieur, histoire de voir ce qu'il va nous dire.

— Non.

— N'aie pas le cœur si dur, voyons ! Le passé est le passé. (Peter prenait un ton sentencieux.) Je te parie qu'il est désolé de toute cette histoire. Après tout, nous commettons tous nos erreurs ; et s'il regrette la sienne, c'est à toi de lui donner ses chances. Il ne faut pas rester là-dessus.

Veronica salua ces paroles avec un reniflement de mépris, mais jeta vers la porte un coup d'œil hésitant.

— Allez, viens, on essaye ! dit Peter en lui prenant le bras et en l'entraînant. On va voir ce qu'il a à dire de son côté.

— Si jamais il dit un seul mot de trop sur ma mère... commença Veronica d'un air féroce.

Mais elle se laissa tirer par le bras jusqu'en haut des marches, puis jusqu'à l'intérieur du petit restaurant.

Ils se tinrent un moment près de la porte sans bouger, le temps de se désengourdir dans la tiédeur environnante et d'examiner un peu les lieux. Il y avait, le long du mur, comme des sortes de loges, et de l'autre côté, tout en longueur, un comptoir de bar bordé d'une rangée de sièges. Peter patina en direction de deux sièges libres, en entraînant Veronica. Un adolescent blond, du genre asperge, se tenait derrière le comptoir et Veronica le désigna d'un coup de coude à Peter :

— Celui-là, c'est Charles Junior.

— Comment ça, Charles Junior ? s'informa Peter, fasciné par la vision de trois ou quatre tartes entamées.

— C'est le plus jeune. Mon oncle a deux garçons ; l'aîné s'appelle Auguste et le second Charles, comme son père. Charles junior.

— Ah bon.

Peter inspectait le contenu de la vitrine, riche d'un gros gâteau au chocolat, d'un autre de la même taille (mais qui devait être à la noix de coco) et de diverses petites choses comestibles.

Au bout d'un instant, Charles Junior s'approcha d'eux et demanda :

— Vous désirez ?

Peter s'arracha à sa contemplation des pommes au four, sourit à Charles Junior, se tourna légèrement en direction de Veronica et attendit.

Mais Charles Junior les dévisagea tous deux sans comprendre et redemanda :

— Que désirez-vous ?

— On s'en va, dit Veronica qui se levait déjà.

— Une minute, dit Peter en la forçant à se rasseoir, tandis que passait devant ses yeux, en arrière-plan, la vision fugitive de chaussons aux pommes. M. Ganz est-il ici ?

— Mon père ? Oui, il est là. En cuisine.

— Pourrions-nous le voir, s'il vous plaît ? demanda Peter d'une voix qu'il voulait très adulte.

Charles Junior passa la tête à travers le passe-plats et lança :

— Papa ! Il y a ici un gamin qui voudrait te voir.

— Tu n'es pas fou ? Qu'est-ce qui t'a pris ? siffla Veronica à mi-voix.

Le regard de Peter errait du plateau de gelée aux fruits à celui du pudding au riz. Il murmura doucement :

— Accorde-lui sa chance...

Un homme de haute stature, large d'épaules et blond de poil, surgit de la cuisine. Son fils désigna d'un geste Peter et Veronica ; en moins de trois pas, l'oncle était sur eux.

— Vous vouliez me voir ?

— Peter lui répondit d'un aimable sourire, désigna Veronica du menton, et attendit la touchante scène de retrouvailles.

M. Ganz regarda Veronica, puis Peter.

— Alors ? De quoi s'agit-il ? dit-il, impatienté.

Peter fut stupéfait. L'oncle ne reconnaissait pas sa nièce ! Pourtant, dans sa famille à lui, tout le monde connaissait et reconnaissait tout le monde, jusqu'aux cousins au troisième degré... Il sentait Veronica se raidir tout près de lui, et dit très vite :

— Euh, pourrais-je avoir un verre d'eau, s'il vous plaît ?

M. Ganz, l'air excédé, remplit un verre d'eau et le posa un peu rudement sur le comptoir.

— Et maintenant, expliquez-vous un peu ! ordonna-t-il.

Peter but son eau à petites gorgées, jetant des coups d'œil sur Veronica qui regardait obstinément le comptoir. Derrière elle s'étalaient des petits fours.

— C'est un joli petit restaurant que vous avez là, monsieur Ganz, dit Peter.

L'oncle se fit soupçonneux :

— Comment se fait-il que vous sachiez mon nom ?

— C'est bien votre fils, ce grand jeune homme ? poursuivit Peter.

M. Ganz plissa les yeux.

— Charmant garçon, dit Peter qui n'était plus très rassuré. Vous n'avez pas de fille ?

L'oncle se pencha vers lui de toute sa stature et dit :

— Écoute un peu, mon gars : QUI t'envoie ici ?

— Personne... Je me demandais seulement si vous aviez une fille, ou peut-être une nièce, parce que c'est une chose qui manque dans une famille, une fille, quand il n'y en a pas...

— Moi, je m'en vais, dit Veronica en se levant.

73

Mais l'oncle allongea le bras par-dessus le comptoir et sa grosse patte prit Peter par le col de sa veste.

— Toi, le gamin, tu vas me dire une bonne fois où tu veux en venir, tempêtat-il. À quoi joues-tu ?

— Lâchez-le ! cria Veronica d'une voix suraiguë, en tapant sur la main de l'oncle.

Libéré, Peter dit tristement :

— Tant pis. On s'en va. Tu avais raison, Veronica.

— Veronica ? s'écria M. Ganz.

Il sortit de derrière son comptoir. Le détour l'avait retardé, et il ne réussit à les rejoindre que juste avant la porte, à l'autre bout de la salle.

— Veronica ? Tu es Veronica ?

— Oui, dit Veronica en tâchant de le contourner pour gagner la sortie.

— Veronica Ganz ? insista-t-il.

Il avait posé la main sur son épaule et l'examinait. Elle se débattit un instant, puis abandonna toute résistance, le regard braqué sur le sol.

— Ça, alors... dit lentement M. Ganz. C'est Veronica...

Il la conduisit jusqu'à l'un des sièges de bar et l'aida à s'asseoir. Puis il s'assit en face d'elle

et la dévisagea attentivement, avant de sourire enfin jusqu'aux oreilles :

— Tout le portrait de Frank. C'est lui tout craché.

— N'empêche que vous ne m'aviez pas reconnue... fit remarquer Veronica en évitant de rencontrer son regard.

— Pas sur le coup, avoua l'oncle. Et puis, il y avait ce gamin qui n'arrêtait pas de parler ! Je me demandais où il voulait en venir.

Il leva les yeux sur Peter qui les avait lentement rejoints près du comptoir.

— Viens par ici, toi, assieds-toi là aussi, allons.

Peter s'assit, avec circonspection, à côté de Veronica.

M. Ganz éclata de rire et s'écria :

— Ha ! Quand j'y pense, elle est bien bonne : me demander si j'avais des filles dans ma famille !

Il riait de bon cœur, d'un grand rire éclatant ; il se pencha vers Peter pour lui donner une bourrade dans le dos.

— Tu fais un sacré comédien, mon garçon. Comment t'appelles-tu ?

— Peter Wedemeyer, monsieur.

— Eh bien, Peter Wedemeyer, tu es un fameux comédien !

L'oncle rit encore un bon coup, examina une fois de plus Veronica et déclara :

— Je m'en vais écrire à ton père, tu peux me croire, et je lui dirai que sa jolie grande fille est venue me voir, et qu'elle m'a joué un tour pendable.

Veronica devint cramoisie, mais toujours sans lever les yeux ni piper mot.

— Imagine-toi que l'autre jour, justement, je disais comme ça à ta tante Margaret : « Je pense que Veronica et Mary Jane doivent avoir joliment grandi. Un de ces jours, il faudra que j'aille les voir. » Voilà ce que je lui disais, pas plus tard qu'hier ou avant-hier. Coïncidence, non ?

— Ce n'est pas Mary Jane, c'est Mary Rose... dit Veronica entre ses dents.

— Voyons, qu'est-ce que j'ai dit ? C'est Mary Rose, bien sûr ! Quand même, c'est formidable ! Le nombre de fois où je me suis dit : je vais aller les voir...

— Mais tu n'es jamais venu, dit Veronica sérieuse, en levant enfin les yeux pour le regarder bien en face.

— Hé, mon petit, ne le prends pas comme ça, dit l'oncle Charles en se penchant vers elle. Ce sont des choses que des gosses comme toi ne peuvent pas bien comprendre. Mais maintenant nous nous sommes retrouvés, alors pourquoi ne pas faire à ton oncle un grand beau sourire ?

Veronica le regardait, toujours aussi sérieuse.

— Elle est timide, suggéra Peter.

— Timide ? C'est vrai, ça, qu'elle est timide, ma jolie nièce ?

L'oncle allongea le bras et se mit à tapoter la joue de Veronica.

— Non, moi je sais ce qu'il y a, dit-il. Elle n'a plus une seule dent, et c'est pour ça qu'elle n'ose pas sourire.

Veronica résista tant qu'elle le put, mais soudain elle devint écarlate et éclata de rire. Peter en fit autant, ainsi que l'oncle Charles.

— J'aime mieux ça, dit l'oncle, soulagé, en ébouriffant les cheveux de sa nièce. Et que diriez-vous d'un petit festin, du super-extra pour une nièce super-extra ?

— J'ai déjà mangé, dit Veronica.

— Pas moi, dit Peter tout content.

Peter mangea deux hamburgers et une bonne part de tarte aux pommes, le tout arrosé de coca-cola. Après quoi tous deux se levèrent pour partir, et l'oncle Charles dit :

— Attendez une seconde.

Il disparut à la cuisine et revint muni d'une grande boîte, blanche et plate.

— Il y a des choses que j'oublie, mais d'autres dont je me souviens très bien. Aimes-tu toujours par-dessus tout la tarte au citron meringuée ?

Les yeux de Veronica se mirent à briller.

— Tiens, dit-il en lui tendant la boîte. À partager avec Mary Rose.

Veronica ne prit pas la boîte tout de suite.

— Et avec Stanley aussi ? demanda-t-elle d'une voix étranglée.

— Avec Stanley aussi, dit-il doucement.

Alors elle prit la boîte, et l'oncle Charles passa un bras sur ses épaules en disant :

— Tu es vraiment gentille, Veronica. C'était une bonne idée de venir me voir, et cette fois je n'attendrai pas que tu viennes. La prochaine fois, c'est moi qui viendrai vous voir, très très bientôt, toi et Mary Rose. Alors, tu l'embrasseras pour moi, et tu... tu diras bonjour à ta mère de ma part.

Veronica était déjà presque au bout du pâté d'immeubles avant que Peter l'eût rattrapée.

— Il est rudement sympathique, ton oncle, lui dit-il. Mais fais attention, tu vas faire tomber cette boîte.

Veronica tenait la boîte à gâteaux par son ruban, deux doigts passés dans une boucle. Le visage rayonnant, elle pouffait de rire en se remémorant toute l'aventure :

— J'ai bien cru qu'il allait te tordre le cou, quand tu lui as sorti cette question de savoir s'il avait des filles dans sa famille ! Ce que tu peux être cinglé !

— Hmm hmm... dit Peter, qui avait pour l'heure d'autres préoccupations. Mais comment allons-nous faire pour le retour ? Avec cette boîte, on n'y arrivera jamais. Il vaudrait mieux prendre le trolley. Tu as de l'argent ?

— Non, et toi ?

— Rien qu'un *nickel*. Le prix d'une seule place. Tu devrais retourner chez ton oncle pour lui demander un *nickel*.

— Non, dit Veronica d'une voix ferme. On fait le retour sur nos patins.

— On n'y arrivera jamais.

Veronica contemplait Peter, l'air méditatif.

— J'ai une idée. Peut-être que si on montait dans le tramway ensemble, et que tu te tasses un peu et que tu me donnes la main, peut-être que le contrôleur penserait que tu es mon petit frère ?

— Je n'ai tout de même pas l'air d'avoir cinq ans ! protesta Peter, soudain au bord des larmes.

— Ce n'est pas ce que je voulais dire, s'empressa de rectifier Veronica. Seulement, moi, je suis très grande, alors je me disais... Non. Enfin. Bon, mettons que je n'aie rien dit... Ce qu'il y a, tu vois, c'est que je me souviens que Maman n'a payé la place pour Mary Rose que quand elle a eu plus de dix ans, et elle était grande pour son âge, et... Écoute, on n'en parle plus. On patine. Ou alors...

— Voilà le trolley, dit Peter.

— Ou alors, écoute, tu prends la boîte, tu rentres en trolley, et une fois là-bas tu m'attends devant chez moi. Je me dépêche.

Elle lui tendait la boîte à gâteaux, d'un geste lent qui lui coûtait visiblement beaucoup. Alors Peter, prestement, lui fourra dans la poche son unique pièce de monnaie et s'éloigna sur ses patins.

Il ne détourna pas la tête, mais lorsque le trolley le dépassa, il entendit quelqu'un qui tambourinait vigoureusement contre la vitre. Levant les yeux, il vit Veronica, qui lui faisait un pied de nez au passage.

Pour toute réponse, il lui tira la langue. Il se sentait heureux, presque adulte. En tout cas, il venait de rendre une fière chandelle à Veronica. La journée s'était donc terminée beaucoup mieux qu'elle n'avait commencé. C'était bon de se dire qu'on avait pu rendre service à un ami. Peter se carra les épaules et patina de plus belle. D'ici à chez lui, il y avait un bout de chemin !... Mais tout de même, quelle drôle d'idée : vouloir le faire passer pour un enfant de cinq ans ! Elle aussi, quand on y pensait, il lui arrivait d'avoir des idées de cornichon !

5

L'annexe du collège que fréquentait Peter était située de l'autre côté du parc. Cela représentait pour lui une bonne trotte à faire à pied, mais c'était une balade qui lui plaisait, et surtout les jours de pluie : parce que tout le monde, ces jours-là, arrivait en classe trempé, complètement ébouriffé par le vent, et tellement émoustillé que la plupart des professeurs comprenaient qu'il n'était pas question de se mettre au travail aussitôt la cloche sonnée. Une période de remise au calme s'imposait, et ils avaient la sagesse d'attendre que les pieds cessent de piaffer sous les bureaux, que les joues trop roses reprennent une pâleur plus studieuse, et que les voix redescendent d'une octave pour répondre sagement « présent ! » lorsque l'on ferait l'appel.

Ce lundi matin, il pleuvait. La mère de Peter ne lui adressait toujours pas la parole, ce qui le mettait assez mal à l'aise, mais qui avait au moins un avantage : elle ne lui avait pas expressément rappelé que c'était un jour à mettre des bottes, si bien qu'il s'en était joyeusement passé.

En traversant le parc, il aperçut Veronica qui pataugeait, devant lui, et il lui cria de l'attendre. Veronica n'avait jamais ni bottes ni parapluie. Il l'avait toujours vue, par temps de pluie — et depuis qu'il la connaissait —, dans le même accoutrement insolite. Aujourd'hui encore, il en riait sous cape tout en courant pour la rejoindre. C'était un poncho, disait-elle, pris dans les surplus du magasin de son beau-père, une sorte d'immense carré de toile de bâche kaki, dans lequel elle se drapait tout entière. Elle y disparaissait de la tête aux chevilles, mais elle y était au sec, ainsi que ses livres. En tout cas, elle avait làdedans une drôle de touche ! Pour peu qu'il y eût du vent, comme aujourd'hui, les angles du poncho ondulaient par pans entiers, elle ressemblait à une inquiétante chauve-souris géante.

Elle virevolta sur place deux ou trois fois tout en l'attendant et Peter rit sous cape une fois de plus, en se disant qu'elle était sans doute persuadée d'avoir là-dedans beaucoup de charme et d'allure. Il la héla fraternellement :

— Salut, Veronica ! Alors, cette tarte ? Elle était bonne ?

— Pas mal, dit Veronica dont le visage pourtant redevenait pensif, comme tous deux se remettaient en marche... Mais ce Stanley, oh, si tu savais ! Quel sale gamin ! Imagine-toi qu'il n'a pas voulu y goûter ! Il a eu le hoquet toute la nuit, et Maman a dit que c'était de ma faute.

— Comment ça, de ta faute ? cria Peter pour rivaliser avec une bourrasque.

— Oh, parce que je ne l'avais pas emmené, hier. C'est toutes les fois pareil. S'il n'a pas ce qu'il veut, Monsieur, il attrape le hoquet. Je ne peux pas le supporter.

Veronica répétait sans trêve que Stanley était un sale gamin et qu'elle ne pouvait pas le supporter, mais Peter savait bien que l'on n'avait pas intérêt à abonder dans le même sens. Sans quoi elle se transformait en furie.

Aussi choisit-il de se taire, et de se contenter de défendre son bonnet contre le vent.

— J'ai une idée, dit Veronica. Vendredi prochain, pour aller patiner, si c'était moi qui venais te chercher chez toi, plutôt que le contraire ?

L'image du regard glacial et des lèvres pincées de sa mère par-dessus le petit déjeuner revint à la mémoire de Peter, et il s'empressa de s'écrier :

— Oh non, pas chez moi. Ailleurs.

— Et où ?

— Devant la bibliothèque, par exemple.

— Entendu.

D'autres silhouettes, dûment équipées contre la pluie, transhumaient devant eux sur la même allée du parc, en troupeau toujours plus nombreux.

— Tiens, je vois Bill, là-bas, dit Peter. C'est à lui que j'ai prêté mon guide des serpents. Rattrapons-le.

Il pressa le pas, et c'est seulement lorsqu'il fut presque au niveau de Bill qu'il s'aperçut que Veronica ne l'avait pas suivi. Il se retourna et la vit, le poncho ondulant au vent, qui s'engageait résolument dans une autre allée du parc. Quelle drôle de fille, tout de même ! Elle ne se mêlait jamais à ses camarades, en fait elle n'acceptait que Peter.

Il hésita un instant ; mais il était trop tard pour changer d'itinéraire et tenter de la rattraper. D'ailleurs, Bill l'avait entendu arriver et l'attendait.

— As-tu mon guide des serpents ? lui cria Peter.

— Ouaip. Tu le veux tout de suite ?

Bill lui tendit son livre et tous deux coururent pour rejoindre le peloton. Il y avait là Paul Lucas, Frank Scacalossi et Jeffrey Lobel, en train de suivre à moins d'un mètre, de l'air le plus détaché du monde, un trio de filles à parapluies.

Les garçons se lançaient des bourrades et des plaisanteries, et ne manquaient pas une flaque d'eau, mais sans perdre de vue ces demoiselles, qu'ils épiaient à la dérobée.

Jeffrey se retourna dès qu'il aperçut Peter et le salua d'un sonore :

— Salut, vieille branche ! Un bail qu'on ne s'était pas vus !

Ce disant, il lui arrachait son bonnet et le lançait à ses compères. Peter écarta Bill d'un coup de coude, marcha sur les pieds de Frank, bouscula Jeffrey, avant de récupérer son bonnet qui avait atterri dans une flaque. Puis tous se calmèrent pour mieux épier les filles qui marchaient devant eux.

Elles étaient trois — l'une en rose, l'autre en jaune, la troisième avec une jupe bleue. Celle-là, c'était la plus petite, celle que Peter regardait avec le plus d'attention. C'était Roslyn Gellert. Les filles, à vrai dire, n'intéressaient pas vraiment Peter (Veronica ne comptait pas pour une fille). Mais si on lui avait demandé laquelle des filles de sa classe lui était le moins antipathique, il aurait répondu que c'était Roslyn.

Un professeur, l'année précédente, avait demandé à Peter d'aider Roslyn en maths. Il avait pris plaisir, alors, à regarder se plisser sous l'effort le front lisse de sa camarade, et il gardait aussi le meilleur souvenir des délicieux beignets que la mère de Roslyn avait confectionnés pour le goûter, les deux fois qu'il était allé chez elle à cette occasion. Ce n'était pas une fille tellement jolie, ni tellement vive, ni même l'une de celles que les autres garçons semblaient apprécier le plus. Mais c'était la plus petite de la classe, encore nettement plus petite que Peter, et cette raison en valait bien une autre pour lui trouver du charme, même s'il ne lui arrivait de penser à elle que lorsqu'il n'avait rien de plus important en tête.

Les filles semblaient ignorer parfaitement qu'elles étaient suivies d'aussi près. Celle qui était en rose avait un parapluie assorti à son imperméable, et elle l'inclinait de côté pour se pencher vers l'oreille de sa voisine en jaune et lui chuchoter quelque chose. Toutes deux eurent un petit rire étouffé.

— Cette Lorraine Jacobs, dit Frank, je ne peux pas la sentir. C'est encore elle la pire de tout le lot.

Une bourrasque soudaine arracha le parapluie rose des mains de sa propriétaire, et Frank se lança à sa poursuite. Les filles s'immobilisèrent pour attendre la restitution de l'objet.

— Oh, merci, Frank ! dit Lorraine d'une voix suave.

Puis elle se retourna davantage, feignit la surprise en apercevant les compères et les salua aimablement :

— Tiens, bonjour vous autres !

Les deux camps convergèrent et se tinrent un instant sous la pluie, attendant dieu sait quoi. Puis Lorraine prit la parole :

— J'allais justement vous demander si vous accepteriez de venir à la soirée que je donne chez moi samedi prochain...

— Une soirée ? Comment ça ? demanda Paul soupçonneux.

— C'est une petite réunion, mais le soir, pas comme un goûter d'anniversaire, pas du tout ! Une boum, si tu préfères.

— Ah bon. Et qui sera là ? demanda Peter sans regarder Roslyn.

— Eh bien, il y aura Linda, Frieda, Roslyn, Reba... d'autres... et moi ! pouffa-t-elle. Et puis il y aura vous cinq, et peut-être Marv Green. Je voulais le lui demander, mais... je ne sais pas.

— Et qu'est-ce qu'on fera ? voulut savoir Bill.

— Cette question ! Ce qu'on voudra, dit Lorraine. On pourra jouer à des jeux et peut-être danser...

— DANSER ?

— Et puis il y aura des tas de bonnes choses à boire et à manger. Ça commencera vers sept heures et demie, jusqu'à dix heures et demie. Vous me donnerez votre réponse le plus vite possible, s'il vous plaît.

Les filles se remirent en formation et leur trio s'ébranla. Les garçons, sur leurs talons, échangeaient pêle-mêle coups de coude et opinions.

— Les surprises-parties, il n'y a rien de plus bête, disait Frank sans quitter du regard l'imperméable rose. Moi, je n'irai pas. Et toi, Bill ?

— Pas question. Et toi, Peter ?

— Je ne sais pas trop, dit Peter qui suivait des yeux les ondulations du parapluie rouge de Roslyn. Si Marv y va, j'y vais.

Paul reprit :

— C'est complètement crétin, ces soirées. Tout ce qu'on y fait, c'est danser.

Les autres opinèrent du chef. Peter n'était encore jamais allé à une soirée dansante. Peut-être était-ce réellement plus drôle qu'un goûter d'anniversaire ? Il n'était pas très sûr d'y tenir, mais cela le tentait tout de même d'essayer, rien que pour voir. Surtout si Roslyn devait y être.

— Moi, je ne danserai sûrement pas, dit enfin Bill. Mais après tout, s'il y a des bonnes choses à se mettre sous la dent, peut-être que j'irai quand même y faire un tour, si Peter y va.

Sur le restant du trajet, les garçons finirent par se mettre d'accord : ils iraient tous, mais par pure gourmandise, bien sûr ; et ils iraient en corps constitué, le grand rassemblement étant prévu devant chez Frank. Peter était à peu près sûr que Marv viendrait si lui-même décidait d'y aller.

Le professeur principal, M. Bailey, était très populaire auprès des garçons, mais cordialement détesté des filles. Il marchait en s'aidant d'une canne, en raison d'une blessure qu'il avait reçue lors de la Première guerre mondiale, plus de vingt ans auparavant. Il avait été colonel dans l'armée américaine et il avait combattu en France. Décoré de la croix du Mérite, il ne détestait pas brasser ses souvenirs. Il était à présent officier de réserve, et avait soufflé à certains de ses élèves de se présenter à l'état-major de leur quartier, en tant que volontaires pour porter des messages. Il aimait à faire le point, tous les matins, avec sa classe, sur le déroulement de la guerre qui faisait rage en Europe depuis des mois. Il analysait par le menu la stratégie des Alliés contre l'Allemagne, appréciant ceci, condamnant cela. Les États-Unis, disait-il, seraient bientôt forcés de prendre parti dans cette guerre, ce n'était plus qu'une question de semaines à son avis — et lui, tout le premier, s'y déclarait prêt. Les garçons l'écoutaient avec un vif intérêt, mais les filles, pour la plupart, regardaient l'horloge. Sauf peut-être Veronica.

Mais ce n'était pas seulement pour ses souvenirs de guerre que les filles lui en voulaient tant. C'était encore, et au moins autant, pour la manière un peu cavalière dont il les appelait par leurs noms de famille, exactement comme pour des garçons. Il disait, par exemple : « Jacobs, allez porter ceci au bureau », ou bien : « Kirby, taillez les crayons », ou « Gellert, ramassez les copies »... Elles qui avaient tant attendu d'être au collège pour se faire appeler « mesdemoiselles » (et les autres professeurs leur faisaient cet honneur), voilà que leur maître principal, justement, leur refusait cette promotion !

Ajoutez là-dessus, comme si cela ne suffisait pas, que ce sacré M. Bailey avait une passion pour les reptiles ! Il enseignait les sciences naturelles, et sa salle de classe était envahie de cages vitrées hébergeant ses animaux favoris. Foin des écureuils empaillés ou des chouettes naturalisées dont se contentaient ses collègues ! Ses pensionnaires à lui étaient bel et bien vivants — trente-sept serpents, pour faire bonne mesure. Or, cette année-là, par un malicieux hasard, M. Bailey avait justement trente-sept élèves, et l'idée lui avait paru drôle de baptiser chaque serpent du nom de l'un de ses disciples. Il avait même suggéré, au début, que chaque « parrain » et « marraine » prît en charge son filleul annelé, mais la réaction des filles avait été si violemment hostile à cette idée (pas mal de garçons, ajoutons-le, n'avaient pas réagi différemment) qu'il avait dû renoncer à son idée et faire appel à des volontaires. Il s'en était présenté cinq — Bill Stover, Harold Jenkins, Ralph Crespi, Veronica Ganz et Peter Wedemeyer. La main de Peter s'étant levée la première, c'était lui qui avait été nommé chef de la brigade et désormais, avec ses hommes de troupes, il était chargé de veiller au confort des pensionnaires des cages, à leur alimentation et à la propreté de leur logis.

Le repas de midi, les jours de pluie, s'effectuait dans les classes : il n'y avait pas de cantine, et les enfants, les autres jours, mangeaient tout simplement leur casse-croûte dans la cour de récréation. De graves problèmes se soulevèrent à ce propos : certains élèves trouvaient peu ragoûtant de se restaurer en compagnie des serpents, surtout lorsque ceux-ci en étaient eux aussi à l'heure du repas. Lorraine Jenkins, un jour, avait placé un livre entre elle et la vitre de la cage voisine, pour éviter la vision de son voisin en début de digestion, et dans l'œsophage duquel la grenouille avalée dansait encore une dernière gigue... Pour avoir ainsi obscurci la cage, M. Bailey l'avait accusée de cruauté envers les animaux. Et elle avait eu beau marmotter quelque chose comme « cruauté envers les humains », elle avait dû retirer le livre et se passer de déjeuner.

M. Bailey était en train de leur détailler quelques incidents rencontrés sur la route de Verdun lorsque Veronica, qui mettait de l'eau dans certaines cages, s'écria soudain :

— Monsieur Bailey ! Oh, monsieur, il est mort !

M. Bailey, saisi, empoigna sa canne et se souleva précipitamment.

— Qui est mort ? Qui donc est mort, Ganz ?

— Ralph Peterson. Il ne bouge plus. Oh, je crois qu'il est mort.

Tous les regards convergèrent sur Ralph Peterson, le vrai, le potache, qui souriait avec embarras. M. Bailey traversa la classe en hâte, retira le serpent de sa case vitrée et l'examina. Chacun put voir l'animal flasque et inerte entre ses mains.

— En effet, il est mort, rien à faire, dit M. Bailey amèrement. Et c'était l'un des plus beaux de tout le lot !

Il jeta un coup d'œil à l'intérieur de la cage et explosa :

— Mais aussi, là je comprends ! Ganz, quelle horreur ! Vous avez mis beaucoup trop d'eau, regardez-moi ça : une piscine ! Et moi qui n'arrête pas de vous dire — je vous l'ai dit des millions de fois — les cages doivent être absolument sèches !

Veronica lança vers Peter un regard de désespoir. Mais elle ne dit pas un mot, tout le temps que M. Bailey continua de l'admonester. Lorsqu'il en eut enfin terminé, il la congédia d'un geste de la main. Elle regagna sa place, se rassit lentement, et plongea tout à coup sa tête dans ses mains.

Peter se leva brusquement et lança :

— Monsieur Bailey !

— Wedemeyer ?

— Euh, je voulais vous dire... Ce n'était pas Veronica qui s'occupait de la cage de Ralph Peterson. Nous nous étions partagé les cages, et c'était Harold Jenkins qui s'occupait de celle-là. Et comme il a été malade toute la semaine — Harold Jenkins, pas le serpent — j'ai pris son travail en charge, et... Je croyais m'être occupé de tous ses serpents, mais j'avais dû oublier celui-là.

— Cela ne change rien à rien ! coupa M. Bailey, inflexible. Cet animal est mort, et, d'une manière comme d'une autre, votre brigade de soins est en faute. Veillez à ce que cela ne se reproduise plus, Wedemeyer, sans quoi vous serez relevé de vos fonctions.

— Bien, monsieur, dit Peter en se rasseyant. Il aurait aimé rencontrer le regard de Veronica, mais elle avait toujours le visage caché dans ses mains.

Un groupe de filles, à la sortie, entoura Veronica d'attentions compatissantes, tout en se lamentant sur l'injustice commise. Peter s'approcha d'elle à son tour et l'entendit dire simplement :

— Il n'a même pas réalisé que ce n'était pas de ma faute ; et ce serpent était une merveille !

— Allons, dit Lorraine, il ne faut pas te frapper pour ça. Puisque ce n'était pas de ta faute !

Veronica l'approuva du menton, mais garda l'air infiniment triste. Lorraine passa le bras par-dessus son épaule et dit tout à coup, prise d'une inspiration subite :

— Dis donc, j'y pense : si tu venais, samedi soir, à la soirée que je donne chez moi ? Je t'invite !

Allons, se dit Peter, cette Lorraine Jacobs n'est pas cette peste qu'on pourrait croire. Il adressa à Veronica un sourire d'encouragement — encouragement bien nécessaire, car un éclair d'affolement venait de passer dans ses yeux, et elle semblait encore plus misérable qu'avant.

— Une soirée ? Quel genre de soirée ?

— Oh, une petite fête — mais pas une fête comme un goûter d'anniversaire ! Plutôt une soirée dansante, dit Lorraine. Il y aura des tas de camarades de notre classe. J'espère que tu pourras venir aussi.

Lorsque Peter arriva chez lui, cet après-midi-là, sa mère était occupée à coudre à la machine.

— Houhou, Mama ! cria-t-il en franchissant la porte.

Pas de réponse.

Il s'avança vers elle (elle lui tournait le dos) et lui posa un baiser sur la joue. Elle s'arrêta de coudre et dit froidement :

— Toi, tu veux quelque chose.

— Oh, Ma, ne sois pas comme ça !

Elle se remit à coudre et Peter resta planté près d'elle, debout, à se creuser la tête pour essayer de trouver quelque chose de gai à lui dire.

— Oh, Ma, samedi je vais à une soirée...

La machine à coudre s'arrêta de tourner.

— Quel genre de soirée ? demanda sa mère sur un ton soupçonneux.

— Pas une fête d'anniversaire, s'empressa de dire Peter. Il n'y aura pas besoin d'acheter quelque chose.

— Je m'en doute bien. Pour un anniversaire, c'est un goûter, pas une soirée. Mais je veux dire : qui lance l'invitation ?

— Lorraine Jacobs.

— Ah, dit sa mère en repoussant sa chaise en arrière, avec un regard déjà moins glacé. La fille de Rose Jacobs — une gentille petite jeune fille. Et qui viendra ?

— Marv Green... et Roslyn Gellert... et Paul Lucas... réfléchit Peter en prenant bien soin de ne mentionner que les noms dont il savait que sa mère les approuverait.

— Et... qui encore ?

— Oh, je ne sais pas au juste. Il y en aura d'autres, sans doute.

— Lorraine est une fille bien élevée, elle n'invitera sûrement pas n'importe qui, je n'ai pas de souci à me faire. Pour quand est cette soirée ? À quelle heure ?

— Samedi qui vient. De sept heures et demie à dix heures et demie.

— Très bien. Je dirai à Papa d'aller te chercher à dix heures et de...

Peter réagit violemment :

— Je ne veux pas que Papa vienne me chercher ! Je ne suis plus un bébé, tout de même ! Surtout, ne lui dis pas de le faire ! C'est dans la même rue que nous, à cent mètres à peine ! Je trouverai bien mon chemin !

— Bon, bon. Il t'attendra au coin de l'autre rue.

— Si jamais je le vois qui m'attend, dit Peter entre ses dents, je filerai en sens inverse.

Mme Wedemeyer éclata de rire tout à coup. Elle l'attira sur ses genoux, l'ébouriffa et l'embrassa ; il se laissa dorloter à regret, et seulement pour se faire pardonner de l'avoir fait pleurer la veille. Mais il lui en coûtait, au fond de lui-même : si seulement elle pouvait cesser de le traiter comme un enfant de cinq ans !

6

À quatre heures et demie, comme Veronica n'était toujours pas là, Peter décida qu'elle ne viendrait pas. Une dernière fois, pourtant, il patina jusqu'au coin de la rue pour guetter son arrivée — et cette fois, mais oui, c'était bien elle, là-bas, qui traversait en patins la 169e Rue. Il y avait quelqu'un avec elle, ou plus exactement quelqu'un la suivait. C'était Stanley.

« Si elle se figure que je vais accepter ce gosse pendu à nos basques, marmotta Peter pour lui-même, elle se fourre le doigt dans l'œil... »

— Dis donc ! lui cria-t-il dès qu'elle fut assez près pour l'entendre. Tu crois qu'il fait bon, ici, à poireauter ? Je suis gelé. Qu'est-ce que tu fabriquais donc ?

Veronica avait sa tête des mauvais jours.

— Salut, dit-elle en le rejoignant... J'en ai marre. Mary Rose, elle, si elle veut sortir avec ses amies, pas de problème, elle y va. Mais pas moi. Maman est au magasin, et lui (elle désignait Stanley du menton, derrière elle) il ne veut absolument pas rester là-bas. Alors Maman a dit que je n'avais qu'à l'emmener avec moi.

Stanley arrivait à toutes jambes, et Veronica lui dit :

— Toi, fiche-nous la paix. Je ne veux pas te voir. Ne t'approche pas de moi, hein !

— Ah bon, dit Stanley d'une petite voix résignée, en s'appuyant contre une bouche d'incendie.

Veronica, l'air ulcéré, se laissa tomber sur les marches de la bibliothèque municipale et resta assise là, le regard vissé sur les roulettes de ses patins, grommelant entre ses dents :

— Je le lui avais dit, pourtant, à Maman, de m'accorder le vendredi. Rien que le vendredi. Les autres jours, ça m'est égal, juste le vendredi... Mais non. Elle dit que je dois m'occuper de lui, et que toi... Enfin, voilà.

Stanley extirpa quelque chose de sa poche et dit doucement :

— Tu veux du chewing-gum, Veronica ?

— Oh toi, tais-toi ! explosa Veronica en brandissant le poing.

Mais Stanley levait vers elle un regard chargé d'une telle adoration que le poing de sa sœur retomba aussitôt. Elle détourna le regard et marmonna :

— Un de ces jours, tu verras ce que je ferai ; tu ne perds rien pour attendre !

— La barbe, dit Peter. Je m'étais dit qu'aujourd'hui on patinerait jusqu'au fleuve, et qu'on rentrerait par le métro aérien... J'ai dix *cents*. Je comptais même, en plus, nous offrir une petite douceur.

— Oh oui ! dit Stanley. Allons jusqu'au fleuve !

— PAS TOI ! rugit Veronica. On ne peut aller nulle part, avec toi dans les jambes !

— Alors, on rentre à la maison, Veronica. Moi, je veux bien, dit Stanley.

Peter eut une inspiration. Il se pencha vers Veronica.

— Écoute un peu, lui dit-il dans l'oreille, tu n'as pas essayé de le convaincre de rester dans le magasin de tes parents ?

— Pourquoi crois-tu que j'aie mis si longtemps à venir ? J'ai eu beau m'échiner, il n'a rien voulu savoir.

— Lui as-tu proposé quelque chose en échange ?

— Quoi, par exemple ?

— Essaye de l'appâter avec quelque chose qu'il aime, poursuivit Peter le plus bas possible, les deux mains en cornet. Il est tout petit. Tu dois bien trouver l'idée de quelque chose dont il meurt d'envie, et que tu lui donneras s'il reste au magasin aujourd'hui.

Veronica releva la tête, considéra Peter d'un regard pensif et hocha le menton en signe d'approbation.

— Stanley ! finit-elle par appeler de sa voix la plus douce. Stanley, viens par ici, près de moi.

Stanley s'approcha, précautionneusement.

— Ça va, Stanley, je ne vais pas te taper dessus, ne t'inquiète pas. Viens ici, comme un grand garçon. Viens t'asseoir à côté de moi.

Stanley s'assit.

— Écoute-moi, Stanley : que dirais-tu de ça ? Cet après-midi, tu restes au magasin avec Maman et Ralph, et demain, je te le promets, je t'emmènerai où tu voudras.

— Où tu m'emmèneras ?

Veronica sourit.

— Mais justement, où tu voudras, toi.

— N'importe où ?

— Oui-oui.

Stanley parut réfléchir. Puis il s'écria, inspiré :

— Même sur un bus à deux étages ?

— Bien sûr, si tu le veux, dit Veronica suave. On prendra le train pour descendre en ville et monter dans un bus...

— Mais pas un bus avec un toit fermé, précisa Stanley. Un bus où on est dans le ciel.

— Comme tu voudras.

— Et je pourrai m'asseoir devant ?

— Où tu voudras.

— Et il n'y aura que toi et moi ?

— Moui.

— Et personne d'autre, hein ? Pas lui... ? compléta Stanley en se tournant vers Peter.

— Non-non, rien que nous. Et peut-être Mary Rose, si elle veut venir.

— Oh non, pas Mary Rose. Rien que nous.

— D'accord. Rien que nous.

— Aller et retour. Mais pas qu'une seule fois ?

— Aussi longtemps que tu le voudras.

— Tu me le jures ?

— Croix de bois, croix de fer, si je mens, je vais en enfer.

Veronica se leva, prit la main de son petit frère :

— Bon, tu viens ? dit-elle.

— Où ça ?

— Je te ramène au magasin.

— Je ne veux pas aller au magasin !

— Mais tu viens juste de dire que tu voulais bien y rester aujourd'hui, si demain je t'emmenais prendre le bus !

— Je n'ai pas dit ça ! protesta Stanley qui pleurnichait déjà. Et il se mit à hoqueter : j'ai seulement dit que je voulais aller dans le bus demain, et tu m'as juré de m'y emmener !

La main leste de Veronica prit un élan menaçant, et Stanley, s'arrachant de là, détala jusqu'au refuge de la bouche d'incendie.

— Tu — hic ! — tu m'avais promis-juré...

— Tu vois comment il est ? dit Veronica désespérée. Tu vois ? Il n'y a même pas moyen de discuter, avec lui.

Et elle se rassit sur les marches de pierre.

— Laisse-moi faire, je vais essayer, lui souffla Peter.

Il s'approcha de Stanley sur ses patins. Stanley fit retraite, prudemment, derrière sa bouche d'incendie.

— N'aie pas peur, Stanley, dit Peter. Je veux te parler, c'est tout.

— Mais moi je ne veux pas te parler.

— Stanley... commença Peter d'une voix qu'il voulait persuasive, ça te dirait, une bouteille de coca ?

Stanley, le regard lourd de haine, tournait autour de la bouche d'incendie.

— Si tu veux bien retourner au magasin, je te donnerai un *nickel* et tu pourras t'acheter du coca.

— J'en veux pas ! lança Stanley.

— Une *dime*[1], alors, tu en voudrais ? marchanda Peter (mais cela voulait dire qu'ils devraient renoncer à leur retour par le métro).

— Non !

— Voyons un peu... dit Peter qui ne désarmait pas et fouillait à présent dans le fond de ses poches. Qu'est-ce que j'ai là ?

Il commença d'inventorier son trésor.

— Tiens, regarde, Stanley. Voilà trois jolis timbres de France. Tu as vu ? Il y en a un vert — comme il est beau ! Et puis un bleu et un

_____

1. Pièce de monnaie américaine, représentant un dixième de dollar.

orange... Regarde ce beau timbre orange. Si tu es gentil, je te donnerai les trois !

— Non !

— Oh, et puis regarde donc ce que je trouve encore ! s'enthousiasmait Peter.

Il venait de sortir de sa poche un petit miroir carré. Il lui fit capter le soleil et promena le reflet lumineux sur les murs de la bibliothèque, sur les marches, sur les patins de Veronica, sur la bouche d'incendie et pour finir droit sur le nez de Stanley. Celui-ci cligna les yeux, se lécha les lèvres et prit son souffle pour mieux protester :

— Non et non !

Peter descendit jusqu'au fin fond de sa poche, en sortit la clé de sa maison, pour aller pêcher encore plus profond un ou deux restes de crayons.

— Regarde, Stanley, les beaux crayons ! Celui-ci est rouge, et sur celui-là, tu as vu ? Il y a écrit en doré : KATZ — *Bois et Matériaux.* Et la gomme n'est même pas usée, et si tu...

— Qu'est-ce que c'est que ça ? l'interrompit Stanley en désignant autre chose.

— Ça ? Quoi, ça ? Ah, ça ? C'est ma clé. La clé de chez moi.

La clé était accrochée à une chaînette à laquelle pendait une patte de lapin argenté. Peter cligna les yeux et dit :

— Ah, tu voudrais toucher la patte de lapin ? Vas-y, caresse-la si tu veux. Il paraît que ça porte bonheur.

Il la lui tendit. Stanley empoigna la patte de lapin et la caressa consciencieusement :

— C'est doux.

— Oui, c'est doux, dit Peter. En un éclair, il entrevit la fin de leurs tourments. Tu ne sais pas ? suggéra-t-il à Stanley, si tu veux bien rester au magasin, cette patte de lapin, je te la donne !

Stanley ne répondit pas. Toujours hoquetant, il caressait la patte.

— Et le miroir aussi, je te le donnerai.

Veronica se mit debout.

— Et demain je t'emmènerai prendre le bus.

— Tiens, passe-moi cette chaînette, conclut Peter, que je détache la patte de lapin pour te la donner.

Stanley faisait danser la patte au bout de la chaînette.

— C'est que j'aime bien la chaînette aussi !

— D'accord, d'accord, je peux te la donner avec. Mais laisse-moi reprendre ma clé.

— J'aime bien la clé aussi.

— Mais c'est la clé de chez moi ! Tu n'en as pas besoin.

— J'aime bien la clé, s'entêta Stanley.

Peter poussa un gros soupir. Quel fléau, ce gamin ! Bon, tant pis, on pouvait lui laisser la clé aussi ; Peter n'en avait pas besoin souvent, il s'en ferait refaire une autre...

Veronica l'observait et il s'entendit prononcer :

— D'accord, garde le tout. Mais maintenant, on y va !

— Où ça ? demanda Stanley.

— Au magasin ! rugit Veronica.

Stanley caressa une dernière fois la patte de lapin, puis il la fit tourbillonner au bout de sa chaînette, et l'envoya valser sur la chaussée, aussi loin qu'il le put.

— Je ne veux pas ! criait-il.

Avant que Peter eût récupéré sa clé au beau milieu de la rue, au risque de se faire renverser vingt fois par divers véhicules, Stanley s'était enfui plusieurs pâtés d'immeubles plus loin, poursuivi par Veronica qui maintenant le gardait à vue.

— Je me demande ce qui lui arrive, ces temps derniers, dit-elle à Peter, songeuse, lors-

113

qu'il les eut rejoints. Il n'était pas comme ça, avant.

— Eh bien, quand tu auras la réponse, tu seras bien brave de me la donner ! répondit Peter, excédé. Moi j'ai perdu assez de temps comme ça avec cette petite brute, ça suffira pour aujourd'hui. Salut !

— À la prochaine, dit Veronica résignée.

Il s'éloigna sur ses patins, mais elle le rappela anxieusement :

— Peter !

— Quoi encore ? lança-t-il par-dessus son épaule et sans s'arrêter.

— Vendredi prochain, Peter, je te le jure, je viendrai seule. D'accord ?

Peter ralentit et se retourna. Elle était debout, qui le suivait des yeux. Stanley, un peu plus loin, observait lui aussi.

La journée était gâchée, de toutes façons. Même s'il se décidait à faire du patin tout seul, où irait-il ? Et s'il rentrait à la maison ? Mais sa mère allait lui demander aussitôt où il était allé, et avec qui — pour rien ! Ah, les mères... Cette pensée lui rappela quelques mots de Veronica, tout à l'heure, et la question qu'il avait alors failli lui poser. Lentement il fit demi-tour et revint s'asseoir sur les marches de la bibliothèque.

— Tu ne rentres pas chez toi ? dit Veronica.

— Non. Pas encore.

Il la regardait et se demandait comment tourner sa question. Mais ce fut elle qui parla la première :

— Peter, hésita-t-elle. Je voudrais te poser une question.

— Vas-y.

Elle s'assit à côté de lui et demanda lentement :

— Cette fameuse soirée de demain... Tu comptes y aller ?

— Je pense que oui. Pas toi ?

— Non.

— Ah bon, pourquoi ?

Elle secoua la tête.

— Je ne suis encore jamais allée à ce genre de choses. Mais je ne crois pas que j'aimerais ça.

— Et alors ? Moi non plus, je n'y suis jamais allé. Mais justement. Et en plus, tu y connaîtras tout le monde. Viens-y donc.

Elle regarda devant elle et dit :

— Bon. Si jamais j'y allais — mais je n'irai pas — pourrais-je y aller avec toi ?

— Mais bien sur, si tu veux ! Seulement j'y vais avec les copains. Nous avons rendez-vous devant chez Frank Scacalossi pour y aller tous ensemble. Tu pourrais nous retrouver là-bas.

— Je ne crois pas que j'irai, répéta Veronica.

— Mais à la fin, pourquoi ? s'impatienta Peter.

— Oh, ce n'est pas difficile, dit Veronica très vite. Je suis sûre qu'elle ne m'a invitée que pour essayer de me consoler, après l'histoire du serpent. C'est une bonne camarade, je crois, Lorraine, et je n'ai jamais eu d'accrochage avec elle. Mais je suis sûre, quand même, que c'est à cause du serpent. Je veux dire — je ne sais pas si tu comprends — je veux dire que je ne crois pas qu'elle m'aurait invitée autrement. Et les autres, de toute façon, je ne les connais pas aussi bien que tu le dis.

— Tu connais au moins les garçons.

— Mouais, accorda Veronica.

Et tous deux échangèrent un petit rire, en souvenir de cet épisode, l'an passé, où Peter avait fomenté un complot de garçons pour dompter Veronica.

Peter aperçut Stanley, qui revenait à pas comptés dans leur direction.

— Rendez-vous donc à sept heures vingt, devant chez Frank. Ça te va ?

— Je ne sais pas.

— N'importe comment, maintenant, c'est moi qui voudrais te poser une question.

— Oui ?

Stanley avait regagné sa bouche d'incendie et se balançait contre elle, son regard plein de haine braqué sur Peter.

— Que disait ta mère, au juste, en parlant de moi ? (Et voilà, c'était lâché !)

— Mais je te l'ai dit. Qu'elle voulait que je garde Stanley.

— Non. Je t'ai dit : en parlant de moi.

— Oh... Tu sais, elle ne te connaît pas tellement. Elle ne t'a vu que deux ou trois fois...

— Elle ne m'aime pas, c'est ça ?

— Eh bien...

— Pourquoi ne m'aime-t-elle pas ?

Veronica prit un ton évasif :

— Tu sais bien comment c'est. Elle trouve qu'une grande fille comme moi n'a rien à faire à galoper tout le temps avec un garçon, comme elle dit, et puis... Oh, que veux-tu que ça me fasse ? Je suis assez grande pour faire ce que je veux, non ?

Peter prit une grande aspiration :

— Ça lui est égal que je sois juif ?

— Oh, Peter ! dit Veronica, le visage soudain tendu.

— Vas-y, tu peux tout me dire ; parce que ma mère à moi, figure-toi, ça lui déplaît que tu ne sois pas juive.

— C'est vrai ? dit Veronica, dont le visage s'éclaircit aussitôt. Ça alors ! Ça tombe à pic, parce que, oui justement, ma mère n'apprécie pas que tu sois juif. Tu ne peux pas savoir comme je suis contente, j'en avais tellement honte ! Je n'osais même pas te le dire.

Ils se regardaient, soulagés et radieux. Veronica dit joyeusement :

— Peut-être que j'irai, finalement, demain. À quelle heure m'as-tu dit qu'était le rendez-vous chez Frank ?

— À sept heures vingt. (Peter se leva.) Viens.

— Où ?

— Faire du patin. On va au parc.

— Et Stanley ?

— Au parc, il n'y a pas de danger pour lui. On n'aura qu'à l'ignorer.

— Ouiiiin ! mugit Stanley.

— Mais lui ne nous ignorera pas !

— Que veux-tu que ça nous fasse ? dit Peter.

Il se sentait léger, délivré d'un poids infini. Sa mère à lui, sa mère à elle, toutes les mères et tous les Stanley du monde ne pourraient pas l'empêcher de patiner avec Veronica un vendredi après-midi. Qu'ils essayent seulement !

7

— Ici ? demandait Bill Stover. Ici ? Non mais ça ne va pas, non ? Tu es complètement cinglé !

Ils étaient six — Peter, Marv, Frank, Paul, Jeffrey et Bill — debout devant chez Frank et prêts pour l'expédition.

Peter reniflait l'air en direction de Jeffrey et finit par dire :

— Qu'est-ce que tu t'es mis dans les cheveux ? Tu empestes le Flips.

— Mais C'EST du Flips ! ricana Frank. C'est censé tenir à l'écart les poux et les filles.

— Oh, toi, ça va ! coupa Jeffrey en se passant une main dans les cheveux. C'est seulement le truc que se met mon père...

— Ton père est chauve, fit remarquer Paul.

Mais Bill poursuivait son idée :

— Enfin, bon sang, qu'est-ce qui t'a pris de lui demander de venir avec nous ? On n'a pas besoin d'elle.

— On est en démocratie, non ? répliqua Peter offusqué. J'ai bien le droit de donner rendez-vous à qui me plaît.

Que faisait-elle, de toute manière ? Il aurait bien aimé le savoir. Il devait bien être sept heures et demie passées.

— Comment se fait-il que tu n'aies pas de cravate ? demanda Frank à Marv. Tu as l'air de sortir de ta mine de charbon.

Marv passa le doigt dans l'encolure de sa chemise à carreaux et soupira :

— Je ne pensais pas que nous étions censés porter la cravate. Ce n'est pas le collège, quoi !

Bill n'en démordait pas :

— Et on va avoir l'air de quoi, tous les six, si on arrive chez Lorraine avec *elle* ?

— Mais enfin, lui dit Frank en retirant sa cravate pour la fourrer dans sa poche, je ne comprends pas pourquoi tu montes sur tes grands chevaux pour si peu ! Ce n'est pas comme si c'était Lorraine ou une fille comme ça : ce n'est jamais que Veronica.

— Je ne peux pas la voir en peinture ! dit Bill. Et si j'avais su qu'elle devait venir, je serais resté chez moi.

— Oh, ne t'en prive pas, il n'est pas encore trop tard pour y retourner ! dit Peter en montrant du geste la porte de chez Bill, un peu plus bas dans la rue. Rentre chez toi, va ! Personne ne te regrettera !

— Tu deviens complètement cinglé, ma parole ! aboya Bill. Ouais, à cause de cette fille — complètement siphonné ! Et ça t'a pris tout d'un coup, c'est dingue ! L'an dernier, tu ne pouvais pas la blairer, et cette année, comme la colique, voilà que tu ne peux plus rien faire sans elle, une vraie lavette !

Marv reluquait la poche de Frank et finit par dire :

— Eh, Frank, si tu ne mets pas ta cravate, tu ne peux pas me la passer, s'il te plaît ?

— Voilà ce qu'on appelle de la reconnaissance, dit Frank. Je l'avais enlevée pour que tu ne sois pas le seul à ne pas en porter !

— Enlevons tous nos cravates, proposa Jeffrey en défaisant la sienne.

— Toi, tu vas retirer ce que tu viens de dire ! menaçait Peter, le poing éloquemment braqué sur Bill.

— Oh, ça va, vous autres, ça suffit ! s'écria Frank en tendant sa cravate à Marv. Je file me chercher une autre cravate, et si à mon retour elle n'est pas encore là, on y va sans elle. Compris ?

— Quoi, vous voulez dire que finalement on les met ? demanda Jeffrey en plongeant la main dans sa poche pour en ressortir sa cravate, qu'il contemplait à présent d'un regard terne.

Mais Frank fut de retour avec une nouvelle cravate avant que Veronica n'eût fait son apparition et, la situation enfin clarifiée, le petit groupe se mit lentement en marche vers la maison de Lorraine.

« Elle a dû changer d'avis, pour finir », se dit Peter, qui se creusait la tête, comme toujours, pour essayer de comprendre pourquoi Veronica évitait soigneusement ses autres camarades. Il faudrait qu'il le lui demande, un de ces jours. Mais c'était curieux, tout de même, à quel point les choses avaient pu changer en l'espace de six mois. Tout le monde, dans la classe précédente, avait peur de Veronica. On s'enfuyait à son approche. On la détestait, on la chargeait de tous les péchés du monde. Mais maintenant, au collège, c'était quasiment le contraire. Plus personne n'avait peur d'elle, mais c'était elle qui fuyait les autres. Pourquoi ? Il y en avait qui se moquaient d'elle, sans doute n'aimait-elle pas ça ? Pourtant, plus personne ou presque ne semblait la détester. Sauf peut-être Bill.

Peter n'aimait pas beaucoup songer à Bill. Parce qu'il se sentait un peu coupable à son égard, finalement. C'était lui qui avait monté le coup contre Veronica, l'an dernier, et il avait entraîné Paul et Bill dans cette coalition. Donc, tout était de sa faute, mais pourtant, une fois tout terminé, lui et Veronica avaient fait la paix et même étaient devenus amis, Paul avait ri et tout oublié — seul Bill continuait à bouder là-dessus. Si bien que c'était idiot, comme situation : c'était Bill qui tenait le moins à jouer cette petite guerre, au départ, et maintenant c'était lui qui ne désarmait pas.

Enfin, de toute évidence, Veronica avait choisi de ne pas venir ce soir. Peter trouvait cela stupide, parce que s'il avait su qu'elle ne viendrait pas, il n'aurait pas eu cet accrochage avec Bill. Mais peut-être, après tout, était-ce aussi bien qu'elle ne vînt pas ? Les pensées de Peter se portèrent sur d'autres questions, plus préoccupantes encore : par exemple, que

125

faisait-on dans une soirée avec des filles ? Roslyn Gellert serait-elle là ? Et, dans l'affirmative, le trouverait-elle aussi charmant que sa mère lui assurait l'être ? Et puis encore, plus angoissant que tout : son père l'attendrait-il au-dehors, à la fin, en dépit de sa promesse ?

— Attendez, dit Jeffrey avec insistance, lorsqu'ils se retrouvèrent au bas de l'escalier de chez Lorraine. À votre avis, comment ferons-nous, à la fin ?

— Je ne comprends pas ce que tu veux dire, dit Bill.

— Ma mère dit que les garçons doivent raccompagner les filles chez elles.

— Quelle idée ! dit Marv. Tu crois qu'elles ne connaissent pas le chemin ?

— Non, c'est vrai, il a raison, dit Frank. Après une soirée dansante, le garçon est supposé ramener la fille chez elle...

— Oui, mais laquelle ? Je raccompagnerai Lorraine ! dit Paul en riant.

— Ce n'est pas de jeu, dit Frank.

— Ah bon, pourquoi ? Je croyais que tu la détestais ?

— Rien à voir ! rugit Frank. Mais étant donné que c'est chez elle qu'on va...

— C'était bien pour ça ! s'esclaffa Paul.

— Qui ramèneras-tu, Peter ? demanda Jeffrey.

— Aucune idée, mentit Peter. Et toi ?

— Sais pas. Et toi, Bill ?

— Sais pas.

— Moi non plus.

— Et toi, Marv ?

— Comment veux-tu que je sache ?

Lorsqu'ils eurent enfin gagné le palier, Lorraine vint leur ouvrir et dit joyeusement :

— Bonsoir, tous ! Vous êtes en retard. Entrez !

Depuis la salle de séjour, au fond du couloir, leur parvenaient des bribes de musique. Comme ils passaient devant la cuisine, Mme Jacobs entrouvrit la porte et leur dit bonsoir.

— Oh, Marvin ! dit-elle enfin en sortant pour de bon de sa cuisine. Comment va ton père ?

— Mieux, madame, dit Marv.

— A-t-il repris son travail ?

— Non, pas encore, mais le médecin a dit : peut-être la semaine prochaine, ou la suivante.

— Ah, tant mieux ! Et ta maman, comment va-t-elle ?

— Très bien, merci.

Ils gagnèrent la salle de séjour et constatèrent que toutes les invitées étaient déjà arrivées. Elles étaient assises ici et là, en train de bavarder assidûment. Un disque tournait, Frieda et Reba dansaient une sorte de swing.

— J'étais tellement ennuyée, poursuivait Mme Jacobs, quand j'ai appris qu'il était retombé malade ! Tu diras à tes parents, mon petit Marv, que je viendrai les voir, sans doute dès demain...

— Maman ! S'il te plaît ! implora Lorraine, à mi-chemin entre l'ordre et la supplique.

— Comment, que veux-tu ? Oh, je comprends, d'accord, d'accord, je vous laisse. Amusez-vous bien, les enfants.

Mme Jacobs fit retraite dans le couloir en direction de la cuisine, et les garçons restèrent plantés debout dans l'embrasure de la porte. Ils attendaient.

— Enlevez donc vos manteaux et mettez-les là, sur ce lit, les invita Lorraine en désignant une chambre ouverte, de l'autre côté du corridor. Et nous pourrons commencer.

Peter en profita pour jeter au passage un coup d'œil à son reflet dans l'armoire à glace : cheveux bien en ordre, costume convenable, jolie cravate — l'ensemble ne lui parut pas détestable. Il attendit ses camarades, et tous retournèrent se poster dans l'embrasure de la porte du séjour.

Peter savait que Roslyn était assise sur le canapé. C'était la première chose qu'il avait vue en entrant. Elle avait même un pull rose et un collier de perles. Toutes les filles, d'ailleurs, avaient apparemment un pull et des perles. Sitôt qu'il entrerait, décida-t-il, elle lèverait les yeux, lui ferait un sourire qu'il lui rendrait. Puis elle s'écarterait pour lui laisser une petite place sur le canapé. Il s'avancerait et viendrait s'asseoir à côté d'elle. Elle dirait...

Mais elle ne levait pas les yeux. Personne ne levait les yeux et les garçons ne quittaient pas leur poste près de l'entrée.

— Bon, j'imagine que nous pouvons commencer, dit Lorraine. Tout le monde est ici, sauf Veronica. J'imagine qu'elle n'a pas pu venir...

— Bon débarras... grommela Bill.

Peter serra les poings, mais Frieda venait d'éclater de rire et s'extasiait :

— Toujours le mot pour rire, ce sacré Bill ! Quel farceur...

Toutes les filles pouffèrent, Bill se carra les épaules, dit « mouais ! » et s'aventura à l'intérieur de la pièce, rompant les rangs. Il marcha droit vers le fauteuil où était assise Frieda, fit semblant de s'asseoir sur ses genoux. Elle poussa un petit cri aigu, et pour finir il s'assit sur le bras de son fauteuil. Et d'un.

Lorraine satisfaite se tourna vers Bill et Frieda pour leur demander :

— Par quoi commençons-nous ?

— Par manger ! s'écria Paul en s'avançant d'un pas décidé vers la table, dans un angle de la pièce, ou s'étalaient les victuailles.

Et il se mit à inspecter avec zèle les divers plateaux de chips, de gâteaux secs et de biscuits salés qui s'offraient là. Et de deux.

— Si on jouait ? demanda Lorraine.

— Oh oui, aux prénoms ! dit Linda.

— Pouah ! lui répondit le chœur des garçons.

— À « si c'était » ?

— Beuark !

— Aux charades ?

— Ce jeu débile ?

— Alors, à quoi ?

— Au baseball ! dit Frank.

— Rien que pour cette idiotie, cher monsieur, le gourmanda Lorraine, je vous condamne à m'aider à servir les boissons. Ouste !

Frank fit la grimace, mais se laissa sans résistance entraîner par le bras jusqu'à la cuisine. Et de trois.

— Tiens, un tourne-disques portatif, remarqua Marv qui observait de loin l'électrophone. On commence à en voir, de ces trucs-là. J'imagine que le haut-parleur est dans le couvercle.

Il s'avança pour vérification. Et de quatre.

Jeffrey demeurait anxieux :

— Tu trouves que je sens si fort que ça ? demanda-t-il à Peter.

— Que tu sens quoi ?

— Le machin sur mes cheveux.

Peter renifla discrètement et annonça :

— Tu sens un peu fort, en effet.

— Où est la salle d'eau ?

— Au bout du couloir, je crois.

Jeffrey marmonna quelque chose et s'éclipsa. Et de cinq. Il ne restait plus que Peter debout dans cette embrasure. Il jeta un coup d'œil sur Roslyn. Elle était toujours sur le canapé, en grande conversation avec

Reba. Il décida de s'avancer jusqu'à la table où était dressé le buffet, de prendre une poignée de chips et puis de passer, oh ! comme par hasard, devant le canapé. Elle lèverait les yeux et il dirait :

— Qui veut des chips ?

Il était en face des plateaux lorsque Lorraine et Frank arrivèrent munis de bouteilles de soda. Il se fit dans la pièce une joyeuse bousculade quand chacun s'empressa d'aller faire son choix.

Lorsque chacun eut sa bouteille en main, l'atmosphère se détendit nettement. Ils jouèrent à « si c'était » un moment, s'en fatiguèrent vite, trouvèrent autre chose et finirent par épuiser tout leur répertoire de jeux de société, y compris les charades. Lorraine suggéra alors de danser.

— Seulement, il manque une fille, fit observer Linda. Comme Veronica n'est pas venue, nous sommes cinq filles pour six garçons.

— Quelqu'un dansera avec le balai, pouffa Reba.

— Oh oui, moi ! Moi ! s'écrièrent les garçons en chœur. Et ce fut une mêlée en direction de la cuisine.

Assis à la table de la cuisine, M. Jacobs lisait son journal, lorsque les garçons firent irruption dans la pièce.

— Eh là ! Que se passe-t-il ? s'affola-t-il aussitôt.

Mais Lorraine arrivait derrière.

— Ne t'inquiète pas, Papa, tout va bien. Mais il nous faut le balai.

M. Jacobs leva les yeux sur la pendulette accrochée au-dessus du frigo, avec un regard qui en disait long, et fit remarquer à sa fille :

— Il est neuf heures et demie passées, Lorraine.

— Oh, Pa, s'il te plaît ! Les garçons, venez, vite.

Paul reçut le balai et commença à cabrioler avec lui à travers toute la pièce. Lorraine mit un disque, et elle et Frank entreprirent de danser. Deux couples dansaient donc déjà : Lorraine et Frank, Paul et son balai. Peter regarda Roslyn une fois de plus. Si seulement elle levait les yeux, il l'inviterait à danser ! Mais il commençait à désespérer. La soirée tirait à sa fin, et elle ne l'avait pas seulement regardé. Qu'est-ce qui clochait, à la fin ? Était-ce de son côté à elle, ou du sien ? Peter finit par décider que c'était de son côté à lui que quelque chose n'allait pas.

— Où est la salle d'eau ? chuchota-t-il à Jeffrey.

— Au fond du couloir.

Peter s'empressa d'aller s'y enfermer et d'examiner avec soin son image dans le miroir. Il avait une toute petite tache rouge sur le menton, qu'il n'avait jamais remarquée, mais qui semblait être là depuis toujours. Et l'un de ses yeux était carrément plus grand que l'autre. Il était hideux. Voilà ce qu'il y avait. Il escalada avec précaution le rebord de la baignoire pour tenter de se faire une idée du reste de sa personne. Insoutenable. Le costume était mal taillé. Les épaules étaient bien trop larges, et le pantalon trop long. Quel désastre !

L'humeur considérablement assombrie par ce constat, il revint lentement vers le lieu des festivités, en se demandant s'il ne ferait pas mieux de rentrer chez lui tout de suite. Il était on ne peut plus malheureux.

Des voix lui parvinrent de la cuisine. M. Jacobs se lamentait d'une voix plaintive :

— Mais moi je voudrais me coucher ! J'ai travaillé dur toute la journée et je ne tiens plus debout.

— Encore un tout petit peu, Max. Il est presque dix heures. Encore une petite demi-heure, et ce sera fini. Ne lui gâche pas son plaisir. Tu n'aimes pas qu'elle s'amuse ?

— Dans la journée, oui, marmonna M. Jacobs. Est-ce qu'elle ne peut pas se contenter de s'amuser dans la journée ?

— Chut, il y a quelqu'un dans le couloir... Houhou ? dit Mme Jacobs en passant sa tête par la porte entrebâillée. Ah ! C'est Peter. Alors, Peter ? Vous amusez-vous bien ?

— Formidable ! dit Peter en regagnant, morose, le séjour.

Roslyn dansait avec Reba, Lorraine et Frank dansaient toujours. Bill conversait avec Frieda, Marv s'affairait au tourne-disque, et Paul et Linda bavardaient avec ardeur par-dessus le plateau de chips. Jeffrey se cantonnait à l'entrée.

— Même moi, je le sens, maintenant, dit il. J'en ai peut-être mis trop. Ou bien c'était du truc contre les poux...

Peter regarda encore Roslyn et Reba. Il allait essayer encore une fois, et ensuite tant pis. Mais comment faire ? On ne pouvait pas s'approcher de deux filles en train de danser et les séparer pour en inviter une... Et d'abord, pourquoi était-il possible à deux filles de danser ensemble, et pas à deux garçons ? Par-dessus le marché, il ne savait pas danser ; alors, même s'il osait séparer ces deux-là, que faire ensuite ?

Jetant un coup d'œil au canapé vide, une solution de dernière chance lui vint à l'esprit. Il traversa la pièce, s'assit au milieu du canapé, et attendit. Au bout d'un moment la musique se tut, et les deux filles revinrent vers le canapé.

C'était le moment ou jamais de lever les yeux vers Roslyn et de dire quelque chose d'intelligent. Les deux filles restaient piquées. Mais Peter ne trouvait absolument rien de futé à dire. Aussi se contenta-t-il de s'écarter un peu. Reba s'assit à côté de lui et Roslyn à côté d'elle, à l'autre bout du canapé. Et toutes deux se remirent à pépier.

La sonnette retentit par deux fois, et Roslyn se leva aussitôt :

— Ça, c'est mon père. Il avait dit qu'il vien-drait me chercher à dix heures.

Elle courut à la chambre-vestiaire, revint avec son manteau, lança gaiement « bonsoir, tout le monde ! » et disparut.

Aussitôt après son départ, Reba se retourna vers Peter et lui demanda :

— Qu'est-il arrivé à Veronica ?

— Je ne sais pas, dit Peter, qui se demandait s'il allait rentrer chez lui à la minute ou grignoter d'abord quelques chips. Je pense qu'elle a tout simplement renoncé à venir.

— Ah... (Le visage tout rond de Reba semblait empreint d'une mystérieuse sagesse.) Nous nous disions que peut-être elle allait arriver plus tard, et que c'était pour ça que tu te tenais près de la porte... Pour l'attendre, en quelque sorte.

— Moi ? Je n'attendais personne ! protesta énergiquement Peter. Seulement il n'y avait rien d'intéressant à faire, et j'attendais qu'il se passe quelque chose.

— Ah bon. Roslyn était persuadée que tu attendais Veronica.

— Ça alors, quelle drôle d'idée ! Qui avait bien pu lui mettre ça dans la tête ? Jamais entendu pire ânerie !

— Je le lui dirai, pouffa Reba, et Peter la foudroya du regard.

— Enfin quoi ? répéta-t-il, hors de lui. D'où vient ce conte de bonne femme que j'attendais Veronica ?

Reba pouffait de plus belle. Peter se leva et déclara, très digne :

— Bien. Je rentre chez moi.

— Je crois que je vais en faire autant, dit Reba en se levant.

— Tiens, tu t'en vas, Peter ? Je m'en vais aussi, s'empressa de dire Jeffrey.

Ils prirent donc congé de Lorraine tous trois ensemble, mais une fois dans la rue, Peter comprit son infortune : Jeffrey habitait dans une avenue voisine, et devait prendre la direction inverse ; si bien que c'était à lui, Peter, que revenait l'honneur de raccompagner Reba chez elle. Odieux détail, le pire de tous, pire encore que d'affronter les questions maternelles.

Enfin seul dans sa chambre, Peter se plut à fulminer en repassant dans sa tête tout le désastre de cette soirée. Ainsi donc Roslyn l'avait évité à cause de Veronica. Eh bien, qu'elle aille se faire voir ailleurs ! Et tant pis pour elle si elle avait encore du fil à retordre avec ses maths ! Il s'en souciait comme d'une cerise. Qu'elle vienne un peu, tiens, pour implorer son aide. Elle verrait comme il la recevrait ! Qu'elle vienne... Ce serait son tour à lui de regarder dans le vague et de ne pas la voir... Quant à Bill... Oh, ce Bill ! Encore un mot de sa part, et...

Il arracha sa cravate, jeta sa veste sur le plancher, et plongea dans le bas du placard pour y pêcher ses patins à roulettes. Demain matin, à la première heure, il irait chercher Veronica et ils patineraient à mort, envers et contre tous.

8

— Enfin, les enfants, êtes-vous fous ? Vous ne respectez donc pas les morts ?

Ils s'étaient avancés dans l'allée, sur leurs patins, sans remarquer l'homme agenouillé, et ils sursautèrent lorsqu'il se releva brusquement. Il avait dans la main un petit outil de jardinage ; il venait de planter quelque chose le long d'une tombe.

Il fit quelques pas dans leur direction, l'air ulcéré, et Veronica lança tout bas à Peter :

— Filons !

— On n'entre pas comme ça dans un cimetière sur des patins à roulettes, poursuivait l'homme. Ça ne se fait pas. Absolument pas. Et d'ailleurs, que faites vous ici ?

Peter répondit, mal à l'aise :

141

— Nous faisions du patin dans le parc, et... nous sommes entrés ici un peu par hasard... Nous n'étions jamais venus ici, et nous avons eu envie de... d'entrer pour voir... Un peu sans réfléchir, je crois... Mais nous enlevons nos patins, tout de suite... Je n'étais encore jamais entré dans un cimetière, ajouta-t-il en guise d'excuse (tout en sachant bien que ce n'en était pas une très bonne).

L'homme restait là, debout, hochant la tête. Peter s'assit dans l'allée et déboucla vivement ses patins. Au bout d'une ou deux secondes, Veronica en fit autant. Mais l'homme ne bougeait pas, et ne les quittait pas des yeux. Il ne disait plus rien non plus. Il les regardait.

Les patins de Peter, lorsqu'il se remit debout, s'entrechoquèrent avec un ferraillement sonore et Peter, très gêné, se hâta de les séparer. L'un d'eux lui échappa des mains dans la manœuvre et tomba sur le dallage avec un fracas pire encore.

Tous les traits du visage de l'homme, à ce bruit, se resserrèrent encore, et des larmes jaillirent sur ses joues.

— Oh pardon, monsieur. Nous nous en allons, maintenant. Nous ne l'avons pas fait exprès.

L'homme essaya de dire quelque chose mais les mots, visiblement, restèrent dans sa gorge. Il désigna du geste la tombe la plus proche.

Veronica fut la première à saisir. Lentement, elle contourna l'homme debout, et vint se placer face à la tombe. Peter l'y suivit. Tous deux lurent l'inscription.

MARTIN FRANKLIN
1932 — 1940
À notre fils chéri

L'homme put enfin parler :

— C'était justement ce que je lui avais promis, la dernière fois qu'il avait été malade ; je lui avais dit : « Je t'achèterai des patins à roulettes, avec des roulements à billes. Et puis aussi un bateau qui flotte, et une paire de gants de boxe. » Il avait toujours rêvé de gants de boxe.

— Il aimait bien se battre ? demanda Veronica, et Peter la dévisagea, stupéfait.

En voilà une idée, d'aller poser une question pareille ! On ne parle jamais des morts sur ce ton-là. Dans la famille de Peter, quand on évoquait les disparus, c'était toujours en

termes sombres et ardents. Et d'ailleurs, seules les grandes personnes en parlaient. Veronica venait de rater une belle occasion de se taire.

Mais l'homme ne parut pas s'en formaliser. Au contraire, il sourit et dit :

— Oh, c'était bien un garçon, notre petit Martin ! Pour la bagarre, il n'était jamais le dernier. Et les gosses de l'immeuble préféraient ne pas s'y frotter. Sa mère n'aimait pas beaucoup ça, mais moi je savais que le fond était bon, et qu'il n'y avait pas de mal. Un garçon ne doit pas être une poule mouillée.

Peter cherchait à dire quelque chose de respectueux, mais déjà Veronica demandait :

— Il vous est arrivé de le corriger ?

— De le frapper ? Non, jamais, protesta l'homme... Puis il avala sa salive, regarda Veronica, se ravisa et dit : Enfin, presque jamais. Il m'est quand même arrivé d'être obligé de le faire. Vous savez ce que c'est. Quand un enfant ne veut pas se tenir... Si j'avais su... Mais il était si fort, si plein de vie — comment aurais-je su ?

— Bien sûr... dit Veronica, d'une voix aussi naturelle que s'il se fût agi d'une conversation de tous les jours. Et qu'étiez-vous en train de faire, là, juste à l'instant ?

145

— Oh, dit l'homme en regardant la petite pelle qu'il avait en main. J'étais en train de faire quelques nouvelles plantations ; et ensuite je désherberai. J'aime que ce soit joli et bien propre, tout autour.

Veronica s'accroupit près de la tombe.

— Lesquelles sont les mauvaises herbes ? demanda-t-elle.

— Ces grandes-là, qui se dressent toutes raides, dit l'homme et Veronica se mit en devoir de les arracher.

— Attends, je vais t'aider, dit Peter en posant ses patins à l'écart et en se baissant à son tour pour désherber un autre coin.

Il arracha quelques mauvaises herbes, mais l'homme l'arrêta bientôt :

— Non, pas celle-là. C'est une plante que j'ai plantée.

Il s'accroupit auprès de Peter pour lui faire voir la différence.

— C'est très curieux, dit-il, mais je ne m'y connaissais pas du tout en plantes et en jardinage. Toute ma vie, j'ai habité dans des appartements... Mais depuis qu'il nous a quittés, depuis qu'il est là, je vais dans les pépinières, je pose des questions aux jardiniers — et j'apprends des quantités de choses. Regarde ça (il désignait un buisson épineux, de l'autre côté de la tombe) : c'est un rosier buisson « American Beauty ». Je l'ai planté à l'automne dernier. Cet été, il fleurira.

— C'est très joli, dit poliment Peter, mais Veronica couvrit sa voix :

— Où est votre femme ?

— À la maison. Nous avons une toute petite fille qui est encore un bébé. Katherine. Elle est née quelques mois après la mort de Martin... Il y a aussi Kenny et Jamie. Cinq et sept ans.

— Se souviennent-ils de lui ? demanda Veronica.

— Nous n'en parlons pas beaucoup. Il n'y a qu'un peu plus d'un an, à présent, qu'il est parti. Je pense que sans doute Kenny ne s'en souvient plus guère, mais Jamie doit se le rappeler. Ils jouaient beaucoup ensemble.

Veronica s'assit par terre, pensive.

— Si j'étais morte, je détesterais qu'on ne se souvienne pas de moi.

— C'est bien ce que je répète à leur mère, dit sérieusement M. Franklin. Mais elle dit qu'ils sont trop petits, et que ça risquerait de les tracasser.

— Si j'étais morte, poursuivait Veronica, le regard fixé sur le rosier buisson, j'aimerais qu'on parle de moi. J'aimerais que dès le matin, par exemple au petit déjeuner, on dise : « Tiens, ça c'était le bol dans lequel Veronica prenait ses corn-flakes. » Et peut-être que quelqu'un rappellerait que j'avais horreur des œufs. Et ils parleraient tous de moi, et même si Mary Rose disait des choses pas très gentilles à mon propos, ça me serait égal — du moment qu'on parlerait de moi, qu'on penserait à moi. Et puis aussi, j'aimerais bien qu'ils viennent tous me voir au cimetière, et peut-être planter des choses et s'asseoir autour de ma tombe et bavarder, il me semble que je serais moins seule.

— Si tu étais morte, tu ne te sentirais pas seule, dit Peter.

— Qu'en sais-tu ?

— Voyez-vous, dit M. Franklin tristement, aucun d'eux (je veux dire : aucun des enfants), aucun d'eux n'est venu ici. Quand ils seront plus grands, dit ma femme.

— Elle a raison, dit Peter. Ils sont encore trop petits. Les petits enfants n'ont rien à faire avec les choses tristes. Ils sont faits pour rire et jouer. On doit les protéger de ce qui est triste.

— Et celui qui est mort ? s'écria Veronica. Ce n'était pas un enfant, peut-être ?

M. Franklin la calma d'une voix douce :

— Ce n'est pas comme si nous l'avions oublié. Ne crois pas cela. Ma femme et moi, nous parlons souvent de lui et nous pensons à lui, encore plus souvent. Nous ne l'oublierons jamais. Ne t'inquiète pas.

Il allongea le bras pour presser l'épaule de Veronica, comme pour la consoler. Elle fit oui du menton et se remit à désherber.

Lorsqu'ils en eurent terminé, M. Franklin voulut leur donner un peu d'argent pour leur aide, mais ils refusèrent tous deux. Veronica demanda, hésitante :

— S'il vous plaît... Est-ce que je pourrais venir ici, quelquefois, même si vous n'êtes pas là, et enlever les mauvaises herbes ? Est-ce que ce serait possible ?

M. Franklin ne répondit pas. Par contre il dit, très vite, d'un trait :

— Ne m'en veuillez pas, pour les patins à roulettes... Allez-y, vous pouvez les remettre.

Et il s'en alla d'un pas rapide.

— Moi je ne les remets pas ici, dit Peter. Et toi ?

Veronica secoua la tête. Puis elle se tourna vers Peter et lui demanda tout à trac :

— Si j'étais morte, tu m'oublierais ?

— Tu n'es pas folle, avec tes questions ? Tu n'es pas prête à mourir.

— Ça m'arrivera bien un jour.

— Mais pas de sitôt. Bon sang, qu'est-ce qui te prend de parler de mourir ? Sortons d'ici.

— Mais si je mourais pour de bon. Par exemple, de la polio, ou renversée par un camion — m'oublierais-tu ?

— Mais tu ne vas pas mourir.

— Mais *si* je mourais. Alors ?

— Alors quoi ?

— Tu le sais très bien : m'oublierais-tu ?

— Non. Non, je ne t'oublierais pas. Et maintenant, on s'en va.

Veronica le regarda droit dans les yeux et lui dit gravement :

— Peter, si jamais tu mourais, je peux te jurer que je ne t'oublierais pas. Je parlerais de toi tout le temps. Je dirais aux gens que tu portais souvent un pull bleu, et que tu étais rudement bon élève en classe. Et je reviendrais toujours voir ta tombe, et j'y planterais des tas de rosiers que je soignerais bien. (Elle serra les poings.) Et je ne permettrais à personne de t'oublier. Quand tu aimes vraiment quelqu'un, ça ne s'arrête pas à sa mort. Ralph Peterson, tu sais, le serpent ? Il est mort,

150

et M. Bailey l'a jeté à la poubelle, mais moi je ne l'oublie pas. Et tu sais ce que je vais faire ? Tous les jours, quand je m'occuperai de mes serpents, je leur dirai un petit mot sur lui ; je leur rappellerai comme il était beau, et cette longue bande blanche qu'il avait sur le dos... Je leur rappellerai qu'il a existé. Et je ferais la même chose pour toi si tu mourais, mais en mieux et en plus fort, c'est tout. Alors jure-moi, toi aussi, que si je mourais tu ne m'oublierais pas. Jure-le, sur cette tombe !

Elle lui prit la main et la plaça au-dessus de la tombe du petit Martin. Peter regarda son visage pathétique et se dit avec force : « surtout, ne pas rire... Il ne faut absolument pas que j'éclate de rire »... Enfin, il prononça :

— Je jure devant Dieu que je n'oublierai jamais Veronica Ganz si elle meurt. Si jamais je l'oubliais, que je meure aussitôt.

— Et moi aussi je jure, dit Veronica d'une voix intraitable, que si Peter Wedemeyer meurt avant moi, je me souviendrai de lui toujours et j'obligerai tout le monde à se souvenir de lui, sans quoi puissé-je mourir à mon tour sur-le-champ !

Après quoi ils s'en retournèrent par les allées du cimetière, leurs patins sur l'épaule, le cœur aussi léger que si rien ne s'était passé. Ils se mirent bientôt à déchiffrer les inscriptions sur les tombes.

— Oh, regarde donc celle-ci ! s'écria tout à coup Veronica. C'était une dame : Martha Prendergast, 1856-1932. Écoute ça :

Si le paradis est la récompense
De l'humilité et de la patience
Soyez certains qu'elle est là-haut.

Je parie qu'elle était jolie...

— Écoute celle-là, dit Peter, penché sur une très vieille tombe rongée par les intempéries.

Bien chers amis qui passez là,
Tel vous êtes, telle je fus jadis,
Telle je suis, serez aussi.
Bientôt, passant, tu me rejoindras,
La mort est proche, prépare-toi.

Brr, pas très réjouissant, tu ne trouves pas ?

— Et celle-ci, qu'en penses-tu ? criait Veronica. C'est celle d'un homme.

— Matthew Lukes, 1850-1903.

Il vit encore, celui qui survit
Dans les souvenirs laissés derrière lui.

C'est joli...

Elle s'assit à côté de la tombe et entreprit d'enlever les mauvaises herbes alentour. Elles étaient particulièrement drues à cet endroit et Peter, en la voyant, se mit soudain à rire :

— Je vois que tu as trouvé une nouvelle occupation.

— On te dispense de tes commentaires.

Peter s'éloigna, inspecta encore quelques tombes.

— Peter !

— Oui ?

— As-tu déjà réfléchi à l'inscription que tu aimerais avoir sur ta tombe ?

— Non. Et toi ?

— Pas jusqu'à maintenant. Mais je suis en train d'y réfléchir.

Peter la regarda, très absorbée, assise dans l'herbe. Il eut un immense sourire et dit :

— J'en ai une pour toi.

— Dis voir.

— C'en est une déjà ancienne.

— Comment ça ?

— Tu te souviens, quand on était ennemis ? J'avais des petits slogans de guerre contre toi...

— Je me souviens.

— Alors souviens-toi de celui-ci :

Veronica Ganz-zeu
C'est l'contraire d'un an-ge !

Veronica se leva.

— Pour en faire ton épitaphe, poursuivit Peter, je n'aurai qu'à changer un mot :

Veronica Ganz
était *le contraire d'un ange...*

Veronica s'approchait dangereusement, aussi chercha-t-il refuge derrière une tombe bien placée, mais sans désarmer pour autant :

— Sans doute préférerais-tu celle-ci :

Elle s'appelait Veronica
Elle aimait les plantes et tout ça...

— Idiot ! Attends que je t'attrape ! dit Veronica.

Mais elle riait à son tour.

Ils se poursuivirent quelques instants à travers les allées du cimetière, mais de sombres silhouettes d'adultes se profilèrent bientôt à l'horizon. Alors ils se mirent à marcher d'un pas digne, leurs patins derrière leur dos.

— Dis donc ! chuchota Veronica. J'en ai une pour toi :

Peter Wedemeyer avait une amie.
Et cette amitié le perdit.

En ce disant, elle lui décochait un bon coup de pied dans le tibia, avant de faire un saut de côté.

Un peu plus tard, ils montèrent avec leurs patins sur la plate-forme du métro aérien et s'installèrent là, adossés au garde-fou. Les toits de la ville, au-dessous d'eux, commençaient à s'éclairer, dessinant peu à peu, sur le bleu du ciel qui s'assombrissait, comme un tissu de lumière. Silencieux, côte à côte, ils contemplèrent les lumières, jusqu'à l'entrée du train dans la station.

9

— Où est donc Rosalie ? demanda Papa en prenant place à la table de la cuisine.

Maman posa la salade sur la table et eut un sourire mystérieux.

— Ce soir, quand elle rentrera, vous découvrirez une nouvelle Rosalie, dit-elle simplement.

Papa déplia sa serviette sur ses genoux.

— Que veux-tu dire par là ?

— C'est moi qui lui ai donné l'argent pour le faire, dit Mama triomphalement, tout en jetant un coup d'œil à la pendule. Je lui ai dit comme ça : « Tiens, ça c'est pour toi, pour que tu ailles te faire faire une permanente. C'est la coiffure à la mode, toutes les jeunes filles sont coiffées comme ça, à présent. Je ne veux pas que tu aies l'air vieux jeu. » Alors elle a suivi mon

157

conseil, pour une fois, et elle a pris rendez-vous dans un institut de beauté — salon de coiffure, à la sortie de son travail. Et vous allez voir !

— *Le mieux est l'ennemi du bien, Si le sucre est bon, pourquoi chercher du miel ?* cita Papa en choisissant sur le plat de crudités un cornichon et deux tomates.

Mais Mme Wedemeyer ignora l'allusion et reprit :

— Demain soir, Bernard doit l'emmener à un banquet tout ce qu'il y a de plus sélect. Elle portera une robe neuve — que je lui ai fait acheter, et le manteau de fourrure de Tillie — que je suis allée emprunter moi-même. Et elle sera très bien coiffée, et nous verrons, nous verrons...

— Moi, je la trouve jolie telle qu'elle est, s'entêta Papa.

— Qu'est-ce qu'on mange, ce soir, Ma ? s'enquit Peter sans grand espoir.

On était jeudi soir, et le jeudi semblait voué au poisson à tout jamais. Or Peter ne raffolait pas de poisson.

— Du poisson, répondit sa mère, qui inspectait le contenu du four.

— Et en dessert ? demanda Peter, mû par un dernier espoir.

— Un pudding au chocolat.

— Alors, Peter, quoi de neuf à l'école, aujourd'hui ? demanda son père.

— Oh, Pa, tu m'aurais vu, aujourd'hui ! Chaque fois que c'était à moi, au baseball, je marquais ! Et à la deuxième fois, pfffuu ! on a gagné sept à trois. J'aurais voulu que tu voies ces balles, un peu !

— Très bien, dit son père. Mais moi je voulais parler de l'école hébraïque. Rabbi Weiss est-il content de toi ?

Mama venait de déposer sur la table le plat de poisson aux pommes de terre et commençait à faire les parts.

— Pourquoi ne serait-il pas content ? dit-elle. Peter ne manque jamais — pas une seule fois. Et il fait tout ce qu'on lui demande de faire. Il sait davantage d'hébreu que n'importe quel autre de ses camarades de classe. Que pourrait espérer de mieux Rabbi Weiss ?

— Je crois qu'il trouve que je m'en sors bien, dit sobrement Peter. Une toute petite part, s'il te plaît, Mama.

Sa mère termina le service et s'assit elle-même à table.

— Ce n'est plus que dans un mois, à présent, dit-elle, soudain pensive. Il est grand temps de commencer sérieusement à tout organiser. As-tu déjà invité tes collègues, Ralph Spector et Sy Wurtzman et les autres ?

— Pas encore, dit Papa, mais je vais le faire.

— Dis bien à chacun que toute sa famille est invitée aussi, dit Mama. J'aurai assez de bonnes choses pour tout le monde.

Peter grignotait précautionneusement le pourtour de son morceau de poisson, et s'attaqua aux pommes de terre.

— Invites-tu Rose Lerner ? demanda Papa.

— Crois-tu que je devrais le faire ? Elle ne nous a pas invités, pour le mariage d'Harriet.

Depuis des mois déjà il était question à la maison de la *barmitzva* de Peter et des festivités qui s'ensuivraient. Il y aurait d'abord le service religieux à la synagogue, le samedi matin, à l'occasion duquel Peter et un autre garçon liraient des passages de la *Torah*[1] et prononceraient leur propre discours de barmitzvah. Après quoi tous les invités se retrou-

---

1. Torah ou thora : dans son sens abstrait, c'est l'ensemble de la loi juive, telle qu'elle est donnée par les cinq premiers livres de la Bible. Plus concrètement c'est le rouleau de cuir ou de parchemin conservé dans les synagogues, et utilisé pour la liturgie.

veraient à la maison pour le repas et les réjouissances. Depuis longtemps déjà, soigneusement enveloppé et rangé dans une boîte au fond de l'armoire de ses parents, un somptueux *tallith* tout neuf, frangé de soie, attendait l'événement. Son père avait acheté lui-même, pour Peter, ce châle traditionnel dont les hommes se recouvrent la tête et les épaules pour la prière, dans la religion juive. Il le lui offrirait à l'occasion du grand jour, dans la synagogue, selon la tradition, comme un symbole de son accession à la maturité religieuse.

Plus qu'un mois, à présent, et Peter aurait treize ans ; il ne serait plus un enfant. Son anniversaire tomberait un jeudi, le 27 mai. Et le samedi suivant, deux jours après, on célébrerait sa *barmitzva*...

Peter avait assisté déjà à bien des barmitzva, celles d'amis ou de cousins. Il se souvenait très bien de l'attitude de ces héros d'un jour, certains inquiets et craintifs, d'autres graves et solennels, d'autres encore radieux tout simplement. Quoi qu'il en soit, chacun avait franchi de son mieux ce passage officiel dans l'âge adulte, et survécu à l'éphémère vedettariat de ce grand jour. Il y aurait des cadeaux, aussi, des quantités de cadeaux, et, malgré tous ses efforts louables pour essayer de ne pas trop songer à cet aspect matériel de la fête (ainsi que le rabbin y encourageait vivement ses disciples), Peter sentait son cœur bondir de joie bien malgré lui à la pensée du flot de présents qui accompagneraient la cérémonie.

Le rôle qu'il aurait à tenir à la synagogue n'effrayait pas trop Peter. Il avait travaillé sérieusement, compris ce qu'il étudiait, et son aisance en hébreu ravissait son maître et rendait perplexes ses condisciples. En tout cas, quand viendrait le grand jour, il serait prêt à l'affronter. Il se sentait plein de confiance : ce jour-là serait jour de joie, de joie pure — joie spirituelle et joie matérielle mêlées.

La discussion parentale à propos de la liste d'invités à ne pas oublier lui fit songer qu'il n'avait pas encore réfléchi à ses propres invitations ; aussi déposa-t-il sa fourchette pour demander :

— Mama ?... Est-ce que je pourrai inviter tous mes amis ?

— Bien sûr, dit sa mère en souriant. Ce sera ta journée à toi. Tu inviteras qui tu voudras. Il y aura de tout en abondance.

— Des knishes ? dit Peter plein d'espoir.

— Tiens, tu fais bien de me le rappeler, j'allais l'oublier : il faudra demander à Jake de nous en faire. Des petits ; ça fait davantage fête. Peut-être avec des bouchées de foie ? Il faudra que je passe le voir.

Elle se tut brusquement, et fixa sur Peter un regard intense.

— Qui comptes-tu inviter ?

— Mes amis. Tu as dit que je pouvais inviter qui je voulais.

— Mais qui ? insista sa mère.

— Oh, eh bien, Marv (elle approuva du chef), Bill, Paul, d'autres élèves de ma classe...

— Qui ?

Peter regarda sa mère et comprit qu'il valait mieux, tout de suite, jouer le tout pour le tout :

— Oui, Mama, elle aussi, je compte l'inviter, et tu ne peux pas dire non.

— Inviter qui ?

— Veronica.

Sa mère repoussa son assiette et se leva.

— Ah non ! Pas cette fille ! Tu ne l'inviteras pas. Tu peux inviter qui tu voudras d'autre, mais cette fille-là ne mettra pas les pieds chez moi.

Peter se dressa à son tour et lança :

— Si elle ne vient pas, je n'y serai pas non plus. Vous n'aurez qu'à fêter cette barmitzva sans moi.

— Jennie ! dit à son tour son père, sur le ton de l'avertissement. Jennie, rassieds-toi. Et toi aussi, Peter. Et ne crie pas comme ça à la figure de ta mère. Asseyez-vous. Nous sommes des êtres civilisés. Nous pouvons discuter calmement.

— Où va-t-il, avec elle ? cria Mme Wedemeyer. Toute la journée, dimanche dernier, qu'il a galopé avec elle ! Où étaient-ils, hein ? Que faisaient-ils ?

— Je te l'ai dit, on faisait du patin, dit Peter entre ses dents, la voix en sourdine. On n'a fait que du patin... Qu'est-ce que tu crois qu'on faisait ? Des hold-up ?

— Avec une fille comme ça, on peut s'attendre à tout, comment veux-tu que je sache ? En tout cas je peux te dire qu'elle n'entrera pas dans cette maison ! Quand tu sors d'ici, je ne peux malheureusement pas t'empêcher d'aller courir avec elle, mais ici je suis chez moi, et elle n'entrera pas chez moi, pas de mon vivant.

— Asseyez-vous. Mais ASSEYEZ-VOUS ! ordonna Papa.

Mère et fils obéirent, mais sans se quitter mutuellement du regard par-dessus la table.

— Oh, je sais, je sais ! dit enfin Mama furieuse en se tournant brusquement vers son mari. Tu vas prendre son parti. Tu prends toujours son parti.

— Non, dit M. Wedemeyer. Je vais seulement dire ce qui me semble juste — et ce n'est pas prendre le parti de qui que ce soit.

Peter à son tour porta son regard sur son père. La confiance lui revint. Tout allait s'arranger, son père prenait les choses en main. Son père était un homme de raison, épris de droiture et de justice, et Peter, sûr de son bon droit, se dit que la justice allait maintenant l'emporter. Sa mère ferait encore sans doute beaucoup de bruit et des tas d'histoires, mais elle finirait, comme toujours, par se ranger à l'avis de son époux. Et cet avis, Peter était sûr de le connaître : la justice n'a pas deux poids et deux mesures. Aussi se renversa-t-il dans sa chaise pour écouter le verdict paternel.

— Peter, dit enfin son père d'une voix douce, tu ne dois pas inviter cette fille si ta mère s'y oppose.

— Papa ! s'écria Peter horrifié. Comment peux-tu dire ça ?

Sa mère laissa échapper un petit soupir heureux.

— Tu vois ? Si c'est ton père qui le dit, tu peux le croire.

— Réfléchis un peu, Peter, poursuivit son père. Quel est le sens profond de la barmitzva, qu'est-ce qui compte dans cette cérémonie ? Les réjouissances ? Non. Même la cérémonie proprement dite, à la synagogue, n'est pas l'important. L'important, c'est qu'à présent tu es censé être un homme, et non plus un enfant qui pleurniche pour obtenir ce qu'il veut, sans se préoccuper des conséquences. Être un homme, qu'est-ce que cela veut dire ? Cela veut dire être responsable. Et la toute première de ces responsabilités, c'est de respecter tes parents. Pas seulement parce que c'est ce que dit la Bible, mais encore parce que tu es maintenant assez grand pour comprendre que ta mère a fait beaucoup pour toi, beaucoup plus que tu ne l'imagines et beaucoup plus que qui que ce soit d'autre au monde ; et que respecter ses désirs sur un point qui compte énormément pour elle, ce n'est finalement que justice... Tu peux me croire, Peter, je te le dis franchement : à moi, ça m'est parfaitement égal que ton amie vienne ou non. En fait, si ça

166

devait te faire plaisir, je serais même heureux qu'elle vienne. Mais ta mère s'y oppose. Peut-être a-t-elle tort. Peut-être a-t-elle raison. Là n'est pas la question. Mais que tu le veuilles ou non, ceci est sa maison, et tu ne dois pas inviter cette fille si ta mère dit non.

Peter baissa le nez dans son assiette et songea : « Elle viendra ou je n'y serai pas. » Mais il jugea bon de se taire.

— Si tu veux, Peter, disait encore son père, j'en discuterai avec Mama et j'essaierai de la convaincre. Mais si elle refuse de changer d'avis, tu devras respecter ses désirs.

— Et elle ne risque pas de changer d'avis ! dit sa mère, le cœur léger. Et maintenant, voyons ce pudding au chocolat.

Ils entendirent la porte s'ouvrir, et Rosalie entra dans la cuisine. Pas plus tard que la veille, elle avait encore ces cheveux mi-longs, très raides, tombant jusqu'aux épaules, que Peter lui avait toujours vus. Et voilà qu'à présent, tout environnée d'un lourd parfum de lotion capillaire, elle apparaissait sous un jour inédit, coiffée d'un casque de bouclettes serrées tout autour de son crâne.

— Ouille aïe aïe ! laissa échapper son père horrifié.

Instantanément, Rosalie éclata en sanglots et s'enfuit de la pièce.

— Avais-tu besoin de crier « Ouille aïe aïe » ? s'indigna Mama hors d'elle en se levant de sa chaise.

— Elle est atroce, chuchota Papa. Que lui ont-ils fait ? On dirait un clown.

— Pas une raison pour dire « Ouille aïe aïe » ! dit Mama, et elle sortit vivement.

Papa soupira.

— Ah, les femmes ! Jamais satisfaites de ce qu'elles ont... Des instituts de beauté, on appelle ça ? Des instituts de laideur, oui !

— Papa... dit lentement Peter, à propos de ce que tu viens de dire, sur le fait de devenir un homme, et de prendre ses responsabilités...

— Oui ?

— Eh bien, ne crois-tu pas qu'un homme a la responsabilité de prendre des décisions qu'il estime justes, et d'agir comme il pense qu'il est juste d'agir, même si personne n'est d'accord avec lui ?

— *Le sage rend son père heureux,*
Le fou fait mépris de sa mère, cita M. Wedemeyer d'une voix douce. Peter, tu as étudié la Bible. Tu agiras comme il te semble juste.

Peter se leva.

— J'agirai comme il me semble juste. Et je sais qu'il est juste d'inviter Veronica.

— Est-ce donc si important pour toi, Peter ? Important au point de préférer inviter cette fille, que tu ne connais finalement que depuis peu, plutôt que de rendre heureuse ta mère, que tu connais depuis toujours ? Où est la justice, dans cette affaire ? À ton avis ?

— Mais Papa, c'est seulement parce que Mama est de parti pris, c'est parce qu'elle a des préjugés qu'elle ne veut pas que j'invite Veronica. Ce n'est pas comme si Veronica avait fait quelque chose de mal. Mama est complètement bloquée, elle n'est plus du tout comme avant. Ne t'en aperçois-tu donc pas ? C'est ça qui n'est pas juste. C'est exactement là où ça coince.

Mais son père se contenta de secouer la tête, et Peter quitta la table à son tour pour aller droit dans sa chambre. De là, à travers la cloison, lui parvenaient les sanglots rythmés de sa sœur, et la voix de sa mère qui n'en finissait pas de répéter :

« Tout va s'arranger, tout ira bien, tout va s'arranger. »

10

— Tu es sûr que ma venue ne pose aucun problème ? s'inquiétait Veronica.

— Mais bien sûr que j'en suis sûr ! répondait joyeusement Peter, malgré qu'il n'en fût pas certain du tout.

Le grand jour n'était plus que dans trois semaines et, sur la question de savoir si Veronica serait invitée ou non, la discussion était encore bloquée entre Peter et sa famille. Il en avait parlé à Rabbi Weiss et Rabbi Weiss, bien sûr, s'était contenté de dire que Peter devait respecter la volonté de ses parents. Il avait engagé Rosalie dans la polémique, et sa sœur aînée, quant à elle, s'était rangée de son côté. Mais cela n'empêchait pas sa mère de continuer à dire non et non. Tous les soirs, à la maison, se succédaient scènes sur scènes, et d'interminables discussions qui ne finissaient que par des larmes. L'atmosphère familiale, se disait Peter, évoquait bien davantage un temps de deuil que la venue d'une fête.

Alors tant pis. Ce vendredi après-midi-là, il venait de se jeter à l'eau : il avait invité Veronica. Et si ses parents ne voulaient toujours pas qu'elle vienne, eh bien ! il leur dirait de tout annuler... Mais cela ne rimait à rien d'informer Veronica de ces détails pénibles... Puisqu'elle connaissait les sentiments de la mère de Peter à son égard... et que Peter savait aussi ce que sa mère à elle (et Stanley) pensaient de lui, à quoi bon discuter encore des petites bassesses familiales ? Depuis leurs confidences sur les marches de la bibliothèque municipale, ils n'avaient plus abordé ce sujet.

— Je veux dire, insistait Veronica qui n'était pas entièrement convaincue, je veux dire : personne n'y trouvera à redire, si je viens ?

— Écoute. C'est ma barmitzva, c'est ma fête à moi. Et si je ne peux pas inviter mes amis, ce n'est pas la peine de parler de fête. Et je tiens beaucoup à ce que toi tu viennes. Je dirai même (il serrait les poings) que c'est à ta venue que je tiens le plus. Vu ?

— Bien, je t'en remercie, dit Veronica songeuse. Mais qu'est-ce que je ferai ? Où devrai je aller ?

— Pour commencer, il faudra que tu viennes à la synagogue, pour neuf heures du matin. Et ensuite, après le service religieux, tu viendras chez moi pour le repas et tout ça.

— Je ne suis jamais entrée dans une synagogue, dit Veronica, le visage tourmenté. Oh, Stanley, arrête de me tirailler par le bras comme ça !... Que faudra-t-il y faire ?

— Rien de spécial. Tu viens et tu t'assieds. Ah, oui, j'y pense : tu devras porter quelque chose sur la tête et peut-être une jolie robe.

— Comme à l'église. Mais, à l'intérieur, que faut-il faire ?

— Oh, facile ! Tu t'assieds, tu prends un livre de prières, et puis tu fais exactement tout comme le reste de l'assistance.

— Ce qui m'ennuie un peu, tu vois, c'est que je suis luthérienne, et je ne sais si je suis censée faire comme tout le monde dans une synagogue...

— Ah, je vois ! dit Peter. Dans ce cas, j'imagine que tu peux très bien ne rien faire, ni ne rien dire, si tu penses que ce n'est pas très conforme à... Mais tu sais, il y aura d'autres enfants parmi les invités qui ne seront pas juifs non plus. Tu n'auras qu'à seulement lire le livre et regarder.

— Et toi, que feras-tu, au juste ?

— Moi, je serai devant, avec le rabbin et l'autre garçon qui célèbre sa barmitzva. Nous lirons tous deux des passages de la Torah, en hébreu — c'est le premier des cinq livres de la Bible — et ensuite nous ferons chacun un petit discours.

— Devant tout le monde ?

— Hé oui.

— Tu n'as pas le trac ?

— Non.

Peter ne mentait pas. Il n'avait pas le trac. Du moins, pas pour le discours en public. Le sien serait un excellent discours, de cela, il en était sûr. La plupart de ces discours de barmitzva, il s'en souvenait, tournaient autour de la grande reconnaissance que le garçon éprouvait pour ses parents et pour son maître. Le discours de Peter contiendrait aussi quelques-uns de ces inévitables mots de gratitude, mais Peter avait décidé que le sien ne s'en tiendrait pas là. Il avait là-dessus sa petite idée — mais il s'était bien gardé de discuter de cette partie de son discours avec son rabbin, se réservant pour lui-même la joie de développer le sujet. Son idée lui était venue à propos de son amitié avec Veronica, et de la lutte qu'il menait pour elle. Cette partie de sa péroraison demanderait encore à être revue dans le détail, mais en gros Peter savait très bien ce qu'il dirait. Il en était tout content, et tout fier par la même occasion. Ce serait bien autre chose que les discours de barmitzva entendus jusqu'à présent, quelque chose d'une autre portée, à son avis... Évidemment, l'ennui, c'est qu'avec le cours que prenaient les choses, il risquait fort bien de ne pas prononcer de discours du tout.

— Tâche d'y être, c'est tout, dit-il, austère.

Les patins de Stanley venaient de s'emballer sous lui et il tomba sur ses fesses. Ce vendredi-là, pour la première fois, c'était sur des patins à roulettes que Stanley les avait suivis. Mais il ne savait que s'accrocher à Veronica, cramponnant tour à tour ses mains, ses jambes, sa jupe, bref, ce qu'il pouvait attraper.

Veronica se pencha vers lui.

— Debout, Stanley, relève-toi ! Et ne t'agrippe pas comme ça à moi. Tu ne sauras jamais faire du patin si tu ne me lâches pas.

Stanley restait assis par terre, toujours cramponné à Veronica.

— Si je te lâche, tu t'en vas ! dit-il sur un ton pathétique.

— Entendu. Je te promets de ne pas m'échapper. Et maintenant, debout. Là.

Elle lui tendit une main, que Stanley empoigna bien vite de ses deux mains, en s'efforçant de se relever.

— Voilà. Lâche-moi. Vas-y !

Stanley y alla, roula, tangua, dérapa et se retrouva par terre une fois de plus. Il se mit à hoqueter.

— Et si nous le mettions entre nous deux ? dit Peter. En lui tenant chacun une main, il devrait y avoir moyen...

— Je ne veux pas te donner la main ! protesta Stanley en jetant sur Peter ce regard qu'il réservait à lui seul.

— Écoute mon vieux ! dit sèchement Veronica à son petit frère. Personne ne t'a demandé de venir ici. C'est toi qui as pleurniché que tu mourais d'envie de faire du patin à roulettes. Alors, pas d'histoires. Tu vas te relever, et on te fait patiner, que tu le veuilles ou non.

Elle le remit sur pieds, lui saisit une main et lui fit signe impérieusement de prendre la main que lui tendait Peter. Mais le bras de Stanley pendait inerte de l'autre côté. Alors Peter allongea le bras, prit d'autorité la main de Stanley, qui n'eut que le temps de refermer le poing, si bien que Peter ne le tint que par le pouce. Et le trio s'ébranla, Peter et Veronica encadrant le patineur novice.

— Qui d'autre sera là ? demanda Veronica, reprenant la conversation interrompue.

— Il y aura Marv et Paul, et il faut encore que je demande à Bill (je ne l'ai pas fait), et puis aussi, j'imagine, quelques autres filles de notre classe...

— En tout cas, pas moi ! dit Stanley, en dérivant du côté de sa sœur.

— Personne ne t'a invité ! lui dit Veronica en lui donnant une secousse.

Au coin de la rue, ils se retrouvèrent face à Roslyn Gellert et Reba Fleming. Reba se mit à pouffer comme toujours, sitôt qu'elle les vit, et Roslyn s'absorba soudain dans la contemplation de quelque objet lointain, dans la direction opposée. Le rapport de forces lui semblant équilibré, Peter décida que les circonstances étaient favorables pour l'inviter à sa barmitzvah. Et puisque en une telle occasion la bonté seule est de mise, il pouvait aussi inviter cette pauvre Reba.

— Hého, Roslyn, Reba ! héla-t-il en lâchant la main de Stanley pour se diriger vers elles.

Les pieds de Stanley se dérobèrent sous lui aussitôt, et il s'écroula sur le côté.

— Oh ! dit Reba. Le pauvre petit chou !

Elle et Roslyn se précipitèrent vers Stanley pour l'aider à se relever.

— Bonjour Veronica, dit Roslyn. C'est ton petit frère ?

— Ouais.

— Ce qu'il peut être mignon !

Stanley s'agrippa à la main de Roslyn comme si sa survie en dépendait.

— Roslyn, dit Peter, j'aimerais que tu viennes à ma barmitzva. C'est dans trois semaines. Et toi aussi, Reba.

— Ah bon ? Merci, dit Reba. Je crois que je pourrai venir.

Stanley avait passé un bras autour du cou de Roslyn et un autre autour de sa taille.

— Allons allons, petit chat, roucoulait Roslyn. Tu ne tomberas pas. Lâche-moi le cou, s'il te plaît.

— Lâche-lui le cou, Stanley! ordonna Veronica.

Mais Stanley restait pendu au cou de Roslyn.

— Hé, tu m'étrangles! dit Roslyn à demi étouffée.

Veronica attrapa Stanley et tira. Il ne voulut pas lâcher prise pour autant. Elle tira un peu plus fort.

— Au secours, j'étouffe! gargouilla Roslyn.

— Veux-tu la lâcher, Stanley! rugit Peter, en essayant de dénouer les doigts de Stanley.

Mais Veronica, dans une vigoureuse secousse, parvenait enfin à arracher son petit frère du cou de Roslyn, et tous les deux s'en furent rouler par terre, l'un par-dessus l'autre.

— Roslyn, répéta alors Peter, je t'invite à ma barmitzva. Elle aura lieu dans trois semaines, samedi 29.

Roslyn était encore toute cramoisie. Elle regardait au sol Veronica et Stanley qui se débattaient pour se relever, dans un indescriptible embrouillamini de bras et de jambes, et soudain elle éclata de rire. Peter suivit la direction de son regard. Et ils étaient si drôles, tous les deux, entortillés l'un dans l'autre, qu'il laissa échapper lui aussi un petit rire. Puis Roslyn le regarda, ils échangèrent un sourire et tout en fut transformé — Roslyn ne le battait plus froid !

— J'espère que je pourrai venir, Peter. Mais j'en suis à peu près sûre, et ce serait tellement bien !

— Youkou ! lança Peter fou de joie, et il ajouta bien vite, plus sérieux : ça marche, en maths ? Pas trop de problèmes ?

— Pour l'instant, ça va.

— En tout cas, n'oublie pas : si tu as des difficultés, je suis là.

Roslyn regarda dans le vague.

— Merci, Peter, dit-elle d'une voix douce, c'est d'accord. (Elle tira Reba par le bras.) Et maintenant, au revoir ! Au revoir, Veronica, au revoir, Stanley !

Le mêli-mêlo vivant s'était enfin dénoué et reprenait la verticale. Veronica n'avait pas l'air de la meilleure humeur.

— Ouste, viens, Stanley ! On rentre à la maison.

Elle aida Stanley à se remettre sur roulettes, et se mit à patiner en tournant le dos à Peter.

— Hé, minute, attends-moi ! cria Peter en la rattrapant. Qu'est-ce qui te prend ?

— Tu as ri, dit Veronica, renfrognée.

— J'ai ri, et alors ? Je te jure que vous étiez drôles, tous les deux.

— Tiens ! Si c'était toi, tu ne trouverais pas ça si drôle. Je rentre.

Peter mit la main sur l'épaule de Veronica.

— Oh, ne le prends pas comme ça, s'il te plaît ! Je regrette vraiment d'avoir ri, mais je t'assure... Regarde à quoi tu ressemblais.

Il se lança dans une série de contorsions dignes d'un clown, allant jusqu'à se laisser tomber par terre, toujours agité de convulsions.

Veronica le regardait froidement.

Il rencontra son regard. Elle eut une petite moue des lèvres qui en disait long.

Il essaya de faire toutes sortes de bruits, supposés comiques. Elle plissa les yeux. Il tenta d'autres grimaces, appelant à son secours tout son répertoire en la matière. Il fit le geste, entre autres, d'essayer de se lécher le bout du nez avec la langue...

Brusquement, elle éclata de rire, et Stanley dit tristement :

— On ne va pas à la maison, Veronica ?

Peter s'accouda en arrière et adressa à Stanley un sourire amical et sincère. Pas si détestable que ça, ce gosse, après tout ; il avait ses bons côtés. Et c'était un peu grâce à lui si Roslyn ne regardait plus sans cesse vers les lointains...

— Tu viens, Stanley ? On va faire du patin, dit Peter en attrapant le pouce du gamin, au bout du petit bras qui ne disait ni oui ni non.

Et tous trois repartirent sur leurs roulettes.

Ils se trouvèrent bientôt face à une longue pente, et la rue tout en bas débouchait sur une artère au trafic intense. Peter et Veronica avaient descendu cette pente en trombe des quantités de fois, exécutant à l'arrivée un acrobatique virage en épingle, afin d'éviter de frôler de trop près l'impressionnant flot de circulation qui passait à grande vitesse dans la rue transversale.

Ils se tenaient là, au départ de la pente, en proie à la tentation, et Veronica dit bientôt :

— Écoute, Stanley. Tu vas t'asseoir là un tout petit moment et nous attendre gentiment. Nous n'en avons pas pour longtemps.

— Non ! dit Stanley.

Elle le souleva par les aisselles et l'assit de force sur le rebord du trottoir.

— On y va ! cria-t-elle, et tous deux s'élancèrent au bas de la pente, éperonnés par le vent de la vitesse et les protestations énergiques de Stanley.

Une fois en bas, avec une belle aisance, chacun prit son virage dans sa propre direction pour aller s'immobiliser contre l'une des voitures garées le long du trottoir.

Puis ils remontèrent la côte et retrouvèrent Stanley.

— Je veux faire pareil, dit-il.

— Non, dit Veronica. Tu ne sais même pas patiner.

— Vous n'avez qu'à me tenir la main !

— Non.

Stanley se mit à hoqueter, et Peter, qui se sentait envers lui une dette de reconnaissance, dit avec générosité :

— Écoute, Veronica, c'est vrai : si tu le prends par une main et moi par l'autre, en le tenant bien on peut le faire...

— Non. C'est dangereux.

— Moi, j'veux y aller ! vagissait Stanley. J'veux y aller !

Il tendit son pouce à Peter et Veronica sourit :

— Bon, après tout...

— Veux y aller.

— D'accord, dit Veronica, mais tiens-toi bien.

Tous trois se postèrent au départ de la pente.

— À vos marques, dit Peter. Prêts...

— P'tez ! hurla Stanley.

Et en route ! Peter s'efforçait de tenir bien serré le pouce de Stanley, mais c'était une petite prise, en vérité, et glissante, et remuante. Stanley réussit malgré tout à se maintenir entre ses mentors et, arrivé au bas de la pente, avec une vigoureuse secousse, il se dégagea de l'emprise de Peter. Persuadé que Stanley effectuait le demi-tour cramponné à Veronica, Peter prit son virage rituel, en épingle à cheveux, et alla s'ancrer contre une voiture. Là, il se retourna, tout content, prêt à échanger avec Veronica et Stanley un sourire de triomphe... Mais de l'autre côté de la rue, horreur ! il n'y avait que Veronica,

adossée à une voiture en stationnement. Elle le dévisagea avec le même effroi :

— Il n'est pas avec toi ?

— Non. Il... Il ne t'a pas suivie ?

— Non — oh, non !

Durant une fraction de seconde, Peter n'osa pas regarder. Il ne voulait pas tourner les yeux vers ce flot de véhicules qui passaient en trombe et où Stanley, le pauvre petit Stanley, avait dû être précipité.

Veronica se mit à hurler :

— Stanley ! Stanley ! Stanley !

Peter prit une longue aspiration et regarda autour de lui. Le trafic sifflant de la grande artère s'écoulait par à-coups implacables, mais là-bas, de l'autre côté debout, miraculeusement sain et sauf, le petit Stanley faisait de grands signes, apparemment ravi de la farce.

Ce fut Peter qui le premier réussit à traverser.

— Ho, Stanley ! Tout va bien ? Mal nulle part ? Comment as-tu fait ton compte ?

Veronica survint à son tour. Elle empoigna Stanley, le serra à l'en étouffer, en murmurant :

— Oh, Stanley ! Mon petit Stanley !

186

— Je sais faire du patin ! déclara Stanley en repoussant son étreinte. Je sais en faire. Tu viens, Peter ? On recommence.

Ils ne recommencèrent pas, mais Stanley offrit à Peter toute sa main pour le trajet du retour, et ce fut, en cet après-midi de miracles, le plus grand miracle de tous.

11

Mais il n'y eut rien de miraculeux dans les semaines qui suivirent. Sa mère disait non. Son père disait non. Et Peter s'entêtait à garantir que si Veronica ne venait pas, il ne fallait pas compter sur lui.

Il commençait à prendre en horreur les sinistres après-dîner, lorsque toute la famille, autour de la table de la cuisine, discutait de cette barmitzva. Cela débutait toujours de la même façon. Sa mère évaluait le nombre de langues de bœuf aux cornichons qu'il lui faudrait cuisiner, et se tourmentait de savoir si le tailleur aurait fini à temps les retouches qu'il devait effectuer sur le costume de Peter, ou bien se tracassait au sujet des cousins du New Jersey qui n'avaient toujours pas donné signe de vie. Puis son père abordait Peter sur le chapitre de ses études religieuses, et l'écoutait lire tout haut les passages de la Torah qu'il aurait à lire en public lors de la cérémonie. Après quoi venait le feu d'artifice : car Peter lui même remettait sur le tapis, soir après soir, l'explosive question qui leur mettait à tous les nerfs à vif : celle de savoir si Veronica pourrait ou non venir.

Et soir après soir la discussion repartait, exactement au même point que la veille, et l'on se renvoyait les mêmes arguments. Sa mère pleurait. Son père soulignait à quel point le comportement de Peter était celui d'un bébé. Rosalie insistait que c'était sa barmitzva à lui, et qu'il devait par conséquent pouvoir inviter qui lui chantait. Et lui s'entêtait à déclarer que si Veronica ne venait pas il n'y aurait pas de barmitzva, un point c'est tout. Cette lutte l'épuisait pourtant, d'autant qu'au fond de lui-même il se sentait bien misérable d'être à la source de tant de tourments pour ses parents. Mais il se savait dans le vrai, dans le droit fil de la justice, et cette certitude ardente le brûlait.

Quelques jours avant la date fatidique, après que la discussion eut fait rage comme tous les soirs, et plus stérile que jamais, Peter à bout de forces quitta brusquement la table, et fila dans sa chambre pour se jeter sur son lit où, pour la première fois, il fondit en sanglots. Au bout d'un moment, il entendit la porte s'ouvrir doucement, et sentit quelqu'un s'asseoir sur son lit et lui poser une main sur l'épaule.

La main le tapotait très doucement et Peter, devinant que c'était sa mère, essaya d'étouffer ses sanglots, le visage toujours enfoui dans son dessus-de-lit. Il l'entendit soupirer, puis prononcer lentement :

— Tu as tort. Tu le comprendras quand tu seras plus grand, mais tu as tort...

La main reprit sa caresse et la voix s'éleva de nouveau :

— C'est donc si important pour toi ?

— Oui, souffla-t-il à travers ses larmes et les plis du dessus-de-lit. Oui. Plus que tout au monde.

Elle eut un long élancement et reprit :

— Allons, assieds-toi, et regarde-moi. Nous avons à parler.

Il s'assit, et la regarda en face. Elle lui prit le visage dans les mains en lui souriant :

— Tu en fais, une tête ! lui dit-elle. Pour un garçon dont c'est bientôt la barmitzva, tout devrait n'être que sourire... Allons, invite cette fille et sois heureux.

Il lui jeta les bras autour du cou et la couvrit de baisers, tandis qu'elle répétait sans désarmer :

— Mais tu as tort. Je t'assure, tu te trompes. Tu as tort.

Tort ou raison, les jours qui suivirent furent des jours de grande exaltation, tout irradiés pour Peter d'un intense sentiment de triomphe.

À l'école, il contacta Veronica ce vendredi-là. Il ne pourrait pas aller faire du patin à roulettes l'après-midi ; il lui rappela qu'elle devait être à la synagogue à neuf heures juste, le lendemain matin, et la pressa avec insistance de ne pas y arriver en retard.

Elle avait un étrange regard. Pourtant elle hocha la tête en signe d'assentiment et répondit aussi qu'elle savait fort bien où se trouvait la synagogue.

Et ce fut le grand jour. Tout le long du chemin de la synagogue, sa mère ne cessa de broyer du noir. Elle était sûre que les gâteaux au miel ne seraient pas aussi bons que d'habitude ; qu'il n'y aurait jamais assez de chaises, et que finalement les victuailles avaient été

prévues beaucoup trop juste. Elle ne comprenait vraiment pas pourquoi les cousins du
New Jersey ne s'étaient pas donné la peine de
répondre à son invitation... Le père ne cessait
de lui dire de rester calme, de dire à Rosalie de
rester calme, de dire à Peter de rester calme, le
tout d'une voix dévorée d'anxiété.

Dieu, qu'il y avait du monde à la synagogue
ce matin-là ! Peter se concentrait sur son futur
discours, tandis que sa famille prenait place en
attendant le début de la cérémonie. De l'autre
côté de l'allée il aperçut Nathan Katz, le camarade qui célébrait avec lui sa barmitzva, trem-
blant de trac entre les mains de sa mère, qui
lui remettait bien en place col et cravate. Le
plus étrange était que lui-même n'éprouvait
aucune anxiété. Il mourait d'envie de se
retourner sur son siège pour contempler l'assemblée, mais ce n'était sans doute pas une
chose à faire.

L'oncle Irving vint lui serrer la main ainsi
que celle de son père. Sa mère s'essuya les
yeux et s'écria :

— Ah ! si seulement Papa avait vécu pour
voir ce jour !

Le grand-père de Peter était mort l'année
précédente, mais sa grand-mère s'avançait à

présent, appuyée au bras de l'oncle Jake. Elle embrassa Peter et s'assit à côté de sa mère.

— As-tu sorti du réfrigérateur le hareng au vinaigre ? chuchota-t-elle à sa fille.

— Oui. Mais je me demande s'il y en aura assez.

— Mais oui ! Jake a les knishes dans sa camionnette. Sadie a-t-elle apporté le gâteau, hier au soir ?

La cérémonie commençait. Bruissements et trémoussements cessèrent lorsque s'éleva la voix du chantre pour les prières d'ouverture. Lorsque le coffre sacré fut ouvert et la Torah apportée, Peter et Nathan furent conviés à se rendre à l'autel pour y prendre place, auprès des autres hommes, autour du livre saint. Sa mère lui pressa la main au passage lorsqu'il se leva, et il s'efforça d'avoir l'air à l'aise en gravissant les marches qui menaient à la chaire.

Lorsque vint son tour de lire un passage de la Torah, il eut l'impression d'entendre le silence battre dans sa tête. Puis sa voix s'éleva, et les mots d'hébreu qu'il connaissait si bien n'avaient pas leur consonance familière, ils résonnaient, graves et solennels. Il concentra toute son attention sur le livre en face de lui, ensorcelé par la façon dont les mots sortaient d'eux-mêmes, portés par une voix qui n'était pas la sienne. Mais il n'y eut ni lapsus, ni accroc, ni même hésitation, et levant les yeux après qu'il en eut terminé il sut en un coup d'œil, au visage rayonnant de sa mère, que sur ce point, au moins, il ne l'avait pas trahie.

Il prit place sur un siège au fond de l'estrade, auprès de Nathan et de son maître, et attendit qu'on le rappelât pour son discours de bar-mitzva.

Pendant que le rabbin délivrait son sermon, il prit le temps de détailler l'assemblée. Comment pouvait-il y avoir tant de monde ? Tant de cousins, tant d'oncles et de tantes, tant d'amis... Il reconnut Marv Green, qui lui sourit, ainsi que Reba. Il tâcha d'apercevoir Veronica, se demandant où elle était et ce qu'elle allait penser de son discours. Mais il y avait tant de monde, décidément, qu'il ne parvint pas à la repérer.

Nathan Katz parla le premier. Il remercia ses parents, son maître, ses amis, sa famille, pour l'avoir aidé à atteindre ce grand jour. Il prit l'engagement de faire honneur à sa famille et d'accomplir en tous points ce que sa religion exigeait de lui. Ce fut un discours bref, prononcé avec modestie et sincérité. Nathan était un garçon sérieux et attentif.

Puis ce fut le tour de Peter. Il s'avança vers la chaire et se lança dans son discours. Lui aussi remerciait, pour commencer, ses parents, son maître et le rabbin pour leur aide et assistance, et lui aussi promit de tâcher de faire honneur à sa famille et à sa religion. Mais ensuite il poursuivit, étranglé par le trac pour la première fois :

« Partout dans le monde, des gens se battent et s'entretuent, parce que leurs cœurs sont chargés de haine. Je prends l'engagement de travailler de toutes mes forces à une meilleure compréhension entre tous les hommes, afin qu'un jour la parole de Dieu à Isaïe soit enfin accomplie :

Et ils feront de leurs sabres des socs de charrue
Et de leurs lances des émondoirs.
Nulle nation ne lèvera plus le sabre contre une autre nation,
Ni ne parlera plus de guerre.

Il en avait terminé. Il serra la main du rabbin, celle de son maître, puis celle de

Nathan et il se rassit. Il vit alors le rabbin se tourner vers l'assemblée et dire, après un soupir :

— Ce que des générations d'hommes sages et avisés n'ont pu obtenir, ce garçon espère le réaliser...

Il y eut une vague de rires dans l'assistance, et les joues de Peter s'enflammèrent. Mais le rabbin poursuivit :

— Et pourtant... Que serait ce monde, sans la vision de la jeunesse, sans la pureté de l'espoir et du rêve ? Qui sait ? Peut-être, si demain le monde est peuplé d'hommes qui ressentent ce que ressent Peter Wedemeyer, peut-être alors ce monde sera-t-il réellement meilleur ? Nous ne pouvons que l'espérer.

Il poursuivit ensuite sur les mérites des deux garçons, qu'il tenait à féliciter, sur l'excellence de leurs études et des familles où tous les deux avaient eu la chance de naître.

C'était terminé. Au sortir de la synagogue, Peter passa de main en main, embrassé, cajolé, félicité, loué, assailli de bourrades. Sa mère lui disait :

— Vraiment, tu as été merveilleux ! Le meilleur ! Je n'ai jamais entendu mieux que ce que tu as dit.

Et son père hocha la tête en disant simplement :

— Pas mal. Pas mal du tout.

De retour à la maison, la vision de toutes ces tables, dressées dans la salle de séjour et croulant sous les victuailles, avait quelque chose d'impressionnant. Il y avait du hareng au vinaigre, du bœuf de conserve, de la dinde, de la langue, de pleins plateaux de salade de pomme de terre, de la salade de chou cru, des betteraves au vinaigre, des pois chiches, des cornichons et autres pickles, des olives... Il y avait des quantités de bouteilles, du vin, de la bière, des boissons sucrées, et des eaux-de-vie pour les messieurs. Il y avait des pains tressés, des gâteaux au miel, des gênoises, des tourtes aux pommes, des galettes aux noisettes, sans parler des alléchants knishes de l'oncle Jake. Il y avait encore de pleines boîtes de sucreries, de noisettes, de halva, de raisins secs, et d'éblouissantes pyramides de fruits. Il y en aurait assez, et largement assez, pour toute l'assemblée, en dépit des craintes de la mère de Peter.

Peter se tenait debout à l'entrée, accueillant les invités au fur et à mesure de leur arrivée, les remerciant pour leurs bons vœux et pour la quantité de cadeaux que l'on déversait sur lui. Rosalie ne cessait de charrier de pleines brassées de boîtes-cadeaux, qu'elle emportait dans une autre pièce... Et que tant de monde pût entrer dans un si petit logement semblait relever du miracle.

— Tu ressembles à un coq en pâte, souffla Bill au passage à l'oreille de Peter, tout en lui posant dans la main un petit paquet plat.

Roslyn lui serra la main et dit très sérieusement :

— J'ai beaucoup aimé ton discours. C'était magnifique, ce que tu as dit. Tout le monde t'a trouvé formidable.

Et Reba pouffa de rire.

Tous ses camarades l'entouraient à présent, et sa mère, empourprée de bonheur, s'approcha du petit groupe en disant :

— Venez, venez, tout le monde ! Et servez vous. Peter, va porter à grand-mère un verre de vin. Venez, approchez-vous. Rosalie ! Tiens ? Où est donc Rosalie ? Rosalie, va chercher d'autres serviettes, ma chérie.

Tourbillonnante, affairée, elle pressait chacun de manger, passait de l'un à l'autre à travers toute la pièce. C'était son jour à elle aussi, manifestement, et Peter se sentit soudain bien léger. Le plus dur était passé — il ne restait plus que le plaisir. Tout le travail des semaines passées, les tourments, les discussions sans fin, tout s'était envolé, tout disparaissait derrière le tintement des verres, les éclats de rire et les conversations animées.

Mais où était Veronica ? Il avait beau savoir que sa mère ne se montrerait certainement pas incorrecte vis-à-vis d'un hôte de sa maison, il se doutait bien que c'était trop lui demander que d'espérer de sa part quelque chaleur à l'égard de celle qui avait de peu manqué de ruiner toute cette journée. Il lui fallait donc retrouver Veronica, car c'était à lui de la guider auprès des tables du buffet, à lui de garnir pour elle un plateau débordant de bonnes choses... Peut-être allait-elle lui dire ce qu'elle avait pensé de son discours ? Elle était mieux placée que qui que ce soit pour en comprendre le sens profond, puisque, pour l'essentiel, c'était son amitié avec elle qui avait inspiré Peter. Elle avait donc forcément dû comprendre. Cette allusion, vers la fin, à « une meilleure compréhension entre tous les hommes », elle avait été directement dictée à Peter par toutes les difficultés auxquelles il avait dû faire face, pour avoir lié amitié avec

quelqu'un de « différent ». Veronica n'avait pas pu s'y tromper. Elle avait reconnu qu'il pensait à elle ; sûrement, elle en était heureuse.

Il apporta à sa grand-mère le verre de vin promis, puis son père le harponna pour le présenter à un groupe de collègues, du magasin où il travaillait. L'oncle Irving, aussitôt après, l'entretint un moment sur la façon dont les barmitzva se déroulaient, de son temps, en Europe. D'autres parents et connaissances voulurent lui parler à leur tour, si bien qu'il lui sembla avoir perdu une éternité avant de pouvoir se mettre à la recherche de Veronica.

Elle n'était nulle part. Pas dans la maison, toujours ! Peter entrevit un instant une hypothèse épouvantable : celle de Veronica attendant au-dehors, trop intimidée pour entrer, et il se rua dans le couloir, puis sur le perron.

Quelques-uns de ses plus jeunes cousins se trouvaient là, assis sur les marches, en train de pique-niquer tranquillement devant des assiettes bien garnies.

— Hey, Peter ! l'appela son petit cousin Aaron. Tu as regardé ce que je t'ai apporté ?

— Non, pas encore, répondit Peter en scrutant l'horizon, tout au bout de la rue.

Mais il n'y avait personne, ni d'un côté ni de l'autre. Peut-être était-elle arrivée à un moment où Peter était occupé à parler, peut-être avait-elle attendu qu'il s'aperçoive de sa présence, avant de repartir enfin, faute de se sentir la bienvenue ? Oh, non ! Cette pensée était insoutenable. Il rentra précipitamment à l'intérieur, fonçant tête baissée dans son ami Marv, qui franchissait la porte chargé d'un plateau de victuailles.

— Ta mère est vraiment trop gentille, lui dit Marv. Regarde ce qu'elle m'a donné pour que je l'apporte à mon père, qui ne pouvait pas venir !

— Au fait, Marv, dit Peter d'un trait, tu n'as pas vu Veronica ?

— Non, dit Marv en sortant. Je reviens tout de suite !

Peter revint parmi les convives et entreprit d'examiner un à un les groupes et les sous-groupes qui conversaient debout, assemblés autour des tables. Mais elle n'était pas là. Où pouvait-elle bien être ? Était-elle venue et repartie ? Ou n'était-elle pas venue du tout ?

Au milieu du groupe le plus serré, il aperçut Bill qui portait à ses lèvres une bouteille de coca, et le héla :

— Bill, tu veux venir ici une seconde, s'il te plaît ?

Bill émit un gargouillis, mais fit obligeamment l'effort de s'extraire du groupe qui l'emprisonnait.

— Terrible, ce buffet, mon vieux ! dit Bill enthousiasmé. Ta mère est une sacrée cuisinière !

— Merci, dit rapidement Peter. Tu n'as pas vu Veronica ?

Bill s'étouffa.

— Ah, parce qu'*elle* est là ?

— L'as-tu vue à la synagogue ? demanda Peter, tendu.

— Pas vue.

— Peter ! l'appelait son père en s'approchant, il faut que tu rencontres M. Stein. C'est le père de ce garçon qui étudie pour devenir rabbin. Viens. Ils sont tous deux près de la grande fenêtre, là-bas.

Il prit Peter par le bras pour l'entraîner à travers la foule.

— Oh, Papa, Papa... murmura Peter.

— Quoi donc ?

— Papa. Elle n'est pas venue !

— Qui n'est pas venue ?

Il tourna vers son père un visage vide et pathétique, et quand son père vit ce visage empreint d'une telle détresse, il serra plus fort encore le bras de son fils et chercha des yeux où le conduire. La seule pièce jouissant d'un peu de paix était probablement la salle d'eau, et c'est là que son père emmena Peter, non sans condamner soigneusement la porte derrière eux.

— Que se passe-t-il, Peter ? Qu'est-ce qui ne va pas ?

— Elle n'est pas venue.

— Cette fille, tu veux dire ?

Peter acquiesça, au plus profond de son désespoir.

— Tu en es sûr ?

— Oui.

— Mon pauvre garçon ! lui dit son père en lui passant son bras sur l'épaule. Tout ça pour rien !... « *Méfie-toi de tes amis, plus encore que de tes ennemis...* »

— Elle n'est plus mon amie, dit amèrement Peter.

Son père lui lissa les cheveux et redressa sa cravate.

205

— Allons, viens maintenant, lui dit-il doucement. N'y pense plus pour aujourd'hui. Des
tas de gens t'attendent. Ne les déçois pas.

Peter fit oui du menton, suivit son père
docilement et fit ce que l'on attendait de lui.
Mais la peine était là, qui tambourinait dans
sa tête et ne le quitta plus de la journée. Une
voix silencieuse répétait sans trêve, sous son
front fiévreux : « Elle n'est pas venue. Elle n'est
pas venue. Elle n'est pas venue. »

12

Peter était très occupé à contempler la belle bible que tante Sadie et oncle Lester lui avaient offerte. On était dimanche matin, et cela faisait deux bonnes heures qu'il était absorbé par l'inventaire des cadeaux reçus la veille. Il y avait là, comme prévu, pas mal de stylos à plume — suffisamment, avait-il calculé, pour terminer toute sa scolarité au collège. Et, même si l'on évaluait à deux ou trois par an le taux de mortalité des stylos à plume, il devrait lui en rester encore pour aborder ses études supérieures et peut-être, pourquoi pas ? jusque dans la vie adulte. La vieille plaisanterie éculée du garçon qui déclare, au lendemain de sa barmitzva, « Aujourd'hui je suis un stylo » reposait donc sur un fond de vérité.

Bien qu'il eût encore à déballer deux ou trois paquets, Peter se retrouvait l'heureux propriétaire de trois pulls, neuf cravates, cinq épingles de cravate, deux peignoirs de bain, un attirail d'apprenti chimiste, un dictionnaire et toute une série de livres, touchant tous, de près ou de loin, à des questions de religion juive, divers accessoires de papeterie, une jolie serviette de cuir, un abonnement à une revue de géographie, un jeu d'échecs en ivoire, un globe terrestre et un nouvel album pour ses timbres (ce dernier offert par Bernard).

La bible qu'il était en train d'admirer était reliée de cuir blanc sur lequel était frappé, en lettres d'or, LA BIBLE, et un peu plus bas, un peu plus petit, PETER WEDEMEYER — 1941. Le résultat ne manquait pas d'allure, et Peter s'apprêtait à ouvrir le livre pour en examiner le contenu lorsque Rosalie entra.

Elle portait sous le bras le journal du dimanche, et s'immobilisa un instant devant l'océan de cadeaux qui submergeait Peter.

— Eh ben ! dit-elle. Quelle charretée !

— Regarde un peu ça, Rosalie ! s'écria Peter en brandissant sa magnifique bible.

— Splendide, dit Rosalie. Tu feras bien d'en prendre grand soin, et de ne pas la manipuler avec des mains sales...

— Hé, Rosalie, ça va ! coupa Peter impatienté.

— Et ça, là, qu'est-ce que c'est ? demanda Rosalie en désignant l'album de timbres.

Peter prit l'objet et le lui tendit. Quelque chose lui disait que sa sœur savait parfaitement d'où il venait.

— C'est Bernard qui me l'a offert, dit-il en s'efforçant de mettre quelque enthousiasme dans sa voix, bien qu'il ne s'agît pas précisément du modèle qu'il eût choisi lui-même. Il est très beau.

— Bernard sait ce qui est beau, dit Rosalie d'un ton approbateur, en feuilletant l'album.

Peter leva les yeux sur elle. Ses petites boucles courtes partaient encore dans toutes les directions, mais son visage avait l'air heureux.

— Bernard t'apprécie beaucoup, tu sais.

— C'est gentil à lui, dit poliment Peter. Moi aussi, d'ailleurs, je trouve que lui, c'est un chic type.

— Je suis contente que tu l'aimes bien, dit Rosalie, l'air plus heureuse encore. Puis elle ajouta très vite : Au fait, j'allais oublier, ton amie t'attend en bas, Peter. Elle était debout devant chez nous quand je suis sortie pour aller chercher le journal. Je lui ai dit de monter, mais elle m'a répondu qu'elle aimait mieux t'attendre dehors.

L'idée de la trahison de Veronica avait continué de hanter Peter toute la matinée. Il s'était réveillé avec cette pensée en tête, elle n'avait cessé de lui lancer des piques dans l'estomac durant tout le petit déjeuner, et seule la curiosité, devant tous ces paquets à défaire, avait provisoirement fait taire cette obsession. Mais les paroles de Rosalie venaient de la réveiller.

— Elle peut toujours attendre, dit Peter d'une voix rude.

— En tout cas, je lui ai dit que j'allais te prévenir, dit Rosalie évasivement. Et tu n'oublieras pas de remercier Bernard pour cet album, n'est-ce pas, Peter ?

— Si, je l'oublierai, dit Peter lugubre et furieux. Je lui flanquerai mon pied dans les tibias, à la place... Enfin quoi ? Tu crois que tu as besoin de me dire ça ? Tu t'imagines que je ne sais pas encore ce que je dois faire ?

— Bon, ça va, calme-toi, jeune homme, dit Rosalie pour l'apaiser.

Elle coinça le journal sous son bras, se pencha vers Peter en souriant, lui déposa un baiser sur la joue et sortit.

« Qu'elle attende donc ! » se disait Peter ; mais il reposa la bible et se leva. Non. Il allait tout de même descendre, et lui dire son fait. Il se sentirait beaucoup mieux, quand il lui aurait dit son fait. Et il en avait, bon sang, des choses à lui dire !

Il traversa le logement en trombe, franchit d'une traite le vestibule. Sa propre vitesse semblait attiser encore sa colère, et lorsqu'il déboucha dehors, sur le perron, et qu'il aperçut Veronica, debout à quelque distance, il sentit s'enflammer son visage.

— Qu'est-ce que tu veux ? beugla-t-il.

— Salut, Peter, dit Veronica d'une petite voix, avec un pâle sourire.

Elle s'avança lentement vers lui, puis sans lui laisser le temps de rien dire, lui tendit un petit paquet.

— Tiens. C'est pour toi. Je t'attendais pour te le donner.

Il le prit en la regardant, en se contentant de la regarder, comme s'il la voyait pour la première fois. Qu'elle était donc grande ! Il le savait depuis toujours, elle était plus grande que tous les autres enfants de leur âge, mais cette caractéristique, par le passé, lui avait semblé plutôt favorable. Mais non, elle était beaucoup trop grande, il s'en apercevait à présent, elle était trop grande et très gauche, et qu'elle était donc mal attifée ! Il manquait des boutons à sa veste. Celui d'en haut était remplacé par une épingle de nourrice, sa combinaison dépassait de sa jupe, et ses socquettes tombaient en accordéon sur ses chevilles... Prenant son temps, d'un regard féroce, il la détaillait des pieds à la tête, critiquant sans indulgence le moindre trait de cette trop grande fille peu soignée. Ah ! Ce n'était pas étonnant, si les autres se moquaient d'elle ! Pour sûr ! Et ils s'étaient moqués de lui, du même coup, mais ce serait terminé ! Oui, sa mère avait raison. Qu'avait-il de commun avec une fille comme elle, une fille que personne n'aimait, une fille qui ne savait même pas ce que signifie le mot « amitié » ?

— Tu ne l'ouvres pas, Peter ? dit-elle.

Il déchira le paquet. À l'intérieur, il y avait une paire de boutons de manchette, verts. « Exactement ce qui me manquait, se dit-il — des boutons de manchette ! » Il n'avait pas une seule chemise à porter avec des boutons

de manchette. Ne pouvait-elle donc jamais rien faire correctement ?

— C'est de l'émeraude, dit Veronica. Parce que ton anniversaire tombe en mai, et que l'émeraude est la pierre des gens qui sont nés en mai, et je me suis dit...

— Merci, coupa Peter. Merci beaucoup. Il déposa la boîte, sans douceur, sur la corniche de pierre et continua de la dévisager.

— Est-ce que... c'était bien, hier ? demanda Veronica, qui tentait en se déplaçant d'échapper à ce regard implacable.

— Formidable.

— Écoute, Peter, dit Veronica en s'approchant un peu de lui. Je pense que tu es furieux, mais...

— Moi, furieux ? Peter partit d'un grand rire. Pourquoi serais-je furieux contre toi ? Ben voyons ! Je me suis tout simplement battu contre toute ma famille, je me suis tué à essayer de les convaincre, j'ai rendu tout le monde malheureux pendant des jours, tout ça pour quoi ? Pour que tu puisses venir à ma barmitzva ! Mais toi... Toi, tu n'as même pas pris la peine de te déranger, après tout ce que j'avais enduré ! Mais ça va. C'est parfait. Ne t'inquiète pas. Tu t'en moquais ? Tant mieux.

214

Ça m'arrange. Ça m'est absolument égal à moi aussi.

— Peter ! s'écria Veronica. Tu ne m'avais pas dit tout ça. Je ne savais pas.

— Tu ne savais pas ? siffla Peter, le cou dressé comme celui d'un serpent. Je t'ai répété des tas et des tas de fois de venir. Il fallait que je te l'écrive noir sur blanc, peut-être ? Et tu savais très bien que ça n'allait pas tout seul, chez moi. Ne va pas me dire que tu ne savais pas.

— Mais je t'assure, Peter. Je ne savais pas. (Elle avait les traits tendus et l'air profondément triste.) Bien sûr, je savais que ta mère ne m'aimait pas. Mais justement : je m'étais dit que peut-être ça te faciliterait les choses, si je ne venais pas. Je te le jure, je ne savais pas que tu te donnais tant de mal. Si j'avais su, Peter, je te jure...

— Tu ne serais pas venue de toute façon, cria Peter. Et tu le sais très bien. Exactement comme tu n'étais pas venue à la soirée de Lorraine. Tu avais dit que tu viendrais, et tu n'es pas venue ; et à cause de toi, j'avais failli me battre avec Bill, et Roslyn... Enfin, bref, à cause de toi je me suis ennuyé comme un rat mort à cette soirée, et à cause de toi, encore, toute ma barmitzva a été complètement gâchée. Moi qui étais prêt à renoncer à cette barmitzva si tu ne pouvais pas venir !... Dire que pendant des semaines, on s'est disputé à ton sujet dans ma famille (et on était tous malheureux comme les pierres), jusqu'à ce qu'enfin j'obtienne de pouvoir t'inviter ! Mais maintenant, ne t'en fais pas. C'est fini. Je sais quel genre d'amie tu es, terminé.

Veronica dit en hésitant :

— Peter, tu es mon meilleur ami, je ferais n'importe quoi pour toi...

— Oh oui ! dit-il sur un ton doucereux. Je sais, je sais. Si j'étais mort, tu planterais des rosiers sur ma tombe, et tu répéterais à tout le monde combien j'étais formidable, et la jolie bande blanche que j'avais sur le dos ! Ouaf ouaf ! (Il s'efforçait de rire, il riait vraiment.) Attends un peu que j'aille raconter ça aux copains, histoire de les faire rire. Je leur dirai que tu es la meilleure amie possible si on a décidé de mourir ; mais pour quelqu'un qui préfère vivre, tu ne vaux pas grand-chose, Veronica Ganz.

Veronica était blanche comme un linge. Lorsque Peter s'était mis à rire, elle avait serré les poings, et il avait reculé légèrement.

— Non, Peter, pas toi ! Pas toi aussi. Ne ris pas. Ne te moque pas de moi.

— Alors va-t'en, si tu ne veux pas que je rie de toi, dit Peter. Les jambes commençaient à lui manquer, non de frayeur, mais d'épuisement. Va-t'en ! Va-t'en !

Veronica se mit à parler très vite :

— Je ne savais pas. C'est la vérité. Si tu me l'avais dit, je serais venue, sachant combien tu y tenais. Je n'aime pas les fêtes, les grandes réunions, j'ai horreur des endroits où il y a des tas de gens. Je m'y sens bizarre et mal à l'aise. C'est pour ça que je n'étais pas allée à la soirée de Lorraine. J'étais prête à y aller, tout habillée, et au moment de sortir, crac, j'ai eu peur. Et hier, c'était pareil. J'étais prête à aller à ta barmitzva, et pourtant dis-toi bien que ma mère ne tenait pas tellement à ce que j'y aille. Malgré tout, j'y allais, mais en passant devant le miroir je me suis regardée et j'ai eu le trac une fois de plus. Voilà. Mais je ne pensais pas que c'était aussi important pour toi, sinon, malgré mon trac, je serais venue.

Peter avait les jambes flageolantes. Il s'assit sur le perron et s'efforça de prendre une voix détachée :

— Que veux-tu que ça me fasse ? Tout est fini. Affaire classée.

— Tu as raison, dit Veronica très sérieusement. C'est fini. N'en parlons plus. Je te demande pardon, Peter, je suis désolée. Mais tu as raison. C'est fini. Viens, allons patiner.

— Autre chose à faire, dit Peter en évitant de la regarder.

— Alors, vendredi, d'accord ? (Elle eut un petit rire bref.) Je me débrouillerai pour que Stanley ne vienne pas.

— Vendredi aussi, j'aurai autre chose à faire, s'entêta Peter.

Elle était debout devant lui et Peter gardait les yeux fixés sur ses pieds. Ses socquettes n'étaient pas de la même paire. L'une avait une bordure de côtes et l'autre pas. Il se concentra sur celle qui n'avait pas de bordure : était-ce une socquette blanche qui aurait jauni ou une socquette jaune qui aurait blanchi ? Il y réfléchissait comme s'il était important d'arriver à une conclusion à ce propos, lorsqu'il s'aperçut, brusquement, que la socquette venait de disparaître.

Le temps de se mettre debout, elle était déjà à mi-chemin du pâté d'immeubles. Il espéra qu'elle se retournerait, mais elle ne se retourna pas. Alors, au bout d'un instant, il rentra dans le vestibule. Mais une pensée lui vint, et il retourna en arrière. La petite boîte était toujours là, sur le perron. Il la prit, rentra en hâte, et laissa tomber l'objet sur son bureau. Un peu plus tard dans la journée, après qu'il eut repris son calme et comme il inventoriait de nouveau ses cadeaux, le cœur redevenu presque léger, il retrouva la petite boîte. Il l'ouvrit, contempla d'un œil dédaigneux les pauvres boutons de manchette, tout droit sortis d'un magasin à bon marché, avec leurs fausses pierreries d'un vert criard. Alors il les remit dans leur boîte, la referma, et ne fit qu'un saut jusqu'à la cuisine, où il jeta le tout à la poubelle.

13

Ce fut Stanley qui lui fit repenser à elle, et Marv qui lui donna l'impression d'avoir été si minable.

De toutes ces dernières semaines, il ne lui avait guère accordé une pensée. Huit jours après la barmitzva, c'était à peine si sa colère commençait à retomber, et il évitait consciencieusement de la rencontrer. Il avait repris son ancienne habitude d'aller à l'école avec ses autres camarades, tout content de l'apercevoir, au loin, cheminant solitaire comme elle le méritait. Et puis, en juin, étaient arrivées les vacances, et Peter n'avait plus eu une minute de temps mort, occupé qu'il était à jouer au ballon avec les copains, à nager, à lire, à travailler avec Marv sur diverses constructions. Si bien qu'il l'avait quasiment oubliée, et lorsque d'aventure son souvenir lui traversait l'esprit, ce n'était que le temps d'un bref agacement, vivement remplacé par le sentiment de soulagement de n'avoir plus à combattre pour elle contre l'univers entier. Elle n'en valait vraiment pas la peine. Dieu merci, c'était terminé.

On était à la mi-août, au plus fort de l'été. Les jours s'écoulaient, sans souci, un peu semblables les uns aux autres, sans rien de bien spécial à faire — ni devoirs de classe ni école hébraïque — sans autre programme défini que de manger des glaces, gratter ses boutons de moustique et se laisser flotter langoureusement tout au long du long jour d'été... À vrai dire, Peter commençait à ne plus très bien tenir en place, et à s'émoustiller volontiers à la perspective de la rentrée des classes. Il avait comme une petite nostalgie du grelot du réveil tintant à ses oreilles dans le demi-sommeil — oh ! une toute petite.

Une fissure récalcitrante s'était déclarée dans la maçonnerie de la douve-piscine de Marv, si bien que l'eau n'y tenait pas longtemps. Marv et Peter y avaient travaillé des heures avec une infinie patience, détectant la fuite, la colmatant avec du ciment, puis chantant victoire et désespérant tour à tour (mais refaisant face, courageusement, après chaque échec, à la dramatique situation). Rien à faire. La douve fuyait...

Aujourd'hui encore, ils allaient essayer de la rendre étanche, mais d'abord il fallait que Peter aille à la crèmerie, pour aller acheter une douzaine d'œufs pour sa mère. Canicule ou pas, elle avait décidé de faire de la pâtisserie. On attendait Bernard pour dîner, et depuis quelque temps Mme Wedemeyer se faisait un devoir de déployer en son honneur tous ses talents culinaires, et elle lui mitonnait les plus exquis petits plats de son répertoire. Les cheveux de Rosalie avaient un peu repoussé, et son visage semblait devenir de plus en plus radieux. Sa mère était visiblement convaincue que la situation était en voie d'évolution rapide, et que sa propre contribution à une heureuse issue de l'affaire passait par le bien-être de l'estomac de Bernard.

Peter venait d'acheter les œufs et s'en retournait chez lui, lorsque apparut Stanley.

— Houhou, Peter ! cria Stanley. Peter, salut !

Stanley semblait tout content de le voir, mais Peter, mal à l'aise, jeta un coup d'œil circulaire pour vérifier que Veronica n'était pas elle aussi dans les parages. En fait, quand il y songeait : cela faisait un bout de temps qu'il ne l'avait pas entraperçue, de près ou de loin. Bizarre.

Mais Stanley était seul. Il courut vers Peter, et tira une lettre de sa poche, qu'il lui brandit fièrement sous le nez.

— J'ai encore eu une lettre, aujourd'hui ! Et hier, c'était une carte postale... Elle n'a écrit à Maman que deux fois, mais moi, elle m'écrit tout le temps !

Le visage de Stanley s'assombrit soudain, et son regard se fit soupçonneux :

— Et toi ? Combien de fois elle t'a écrit ?

— Qui ? demanda Peter.

— Elle ! Veronica !

— Et alors ? Où est-elle donc ? demanda Peter, agacé.

—- Comme si tu ne le savais pas ! dit Stanley. Elle est chez son papa, bien sûr. Elle et Mary Rose. Elles ont fait tout le voyage en train avec leur oncle Charles. Elles ont dormi dans le train, mangé dans le train, et elle m'a même envoyé une carte où on voit le train.

— Je ne savais même pas qu'elle était partie, dit Peter, qui se sentait inexplicable-

224

ment furieux qu'elle vécût une telle aventure sans qu'il en sût rien.

Il savait bien, évidemment, que le père de Veronica vivait à Las Vegas et qu'elle et sa sœur ne l'avaient plus revu depuis qu'elles étaient toutes petites. Mais comment ce voyage s'était-il décidé aussi vite ? Un brin de sentiment de triomphe l'effleura : sa média-tion entre elle et son oncle n'y était peut-être pas pour rien ?

D'une voix renfrognée, il questionna Stanley :

— Quand est-elle partie ?

— Sitôt l'école finie.

— Et quand revient-elle ?

— Bientôt. (La mine de Stanley s'allongea.) Ils ne me l'avaient même pas dit, qu'elle s'en allait. Mon papa m'avait emmené au zoo, et on avait mangé des hot dogs et du pop corn et même j'avais bu de la bière, mais quand on est revenus à la maison elle n'était plus là et Mary Rose non plus... (Rien que d'y songer, il en hoquetait encore.) Alors Maman a dit que je pouvais dormir dans son lit et le lendemain Papa m'a acheté une petite voiture. Et puis elle, elle m'a envoyé une ceinture d'Indien et des cartes postales, seulement...

Il se tut, secoué de hoquets redoublés. Il y avait dans son regard toute la détresse du gosse abandonné, seul au monde, à tel point que Peter lui-même ne put se retenir d'essayer de le consoler de quelques tapes amicales.

— Ne t'en fais pas. Elle ne peut plus tarder à revenir : l'école reprend dans une quinzaine.

— Ouais ! dit Stanley rasséréné. De toute façon, elle ne restera pas là-bas. Elle va revenir par le train, c'est ce qu'elle dit dans sa lettre, Maman me l'a lue. Elle m'a même écrit qu'elle me rapporte une surprise. Qu'est-ce que tu crois que ça va être ?

— Sûrement quelque chose de très joli, dit Peter d'une voix convaincante. Mais maintenant, il faut que je m'en aille, ajouta-t-il en changeant de main ses œufs.

— Où tu vas ?

— Chez moi.

— Je peux venir ?

— Écoute, je ne sais pas. Ta maman te permet de t'éloigner de chez toi ?

— Elle a dit que je pouvais jouer dehors un petit moment. Je peux venir ?

Stanley suivit Peter jusque dans la cuisine. Peter déposa les œufs sur la table et prévint :

— Maman ? Les œufs sont sur la table !

— Parfait, lui répondit la voix maternelle.

— Je ressors !

— Où vas-tu ?

— Chez Marv !

— Entendu ! Ne te salis pas !

— Non-non, Ma !

Peter s'empressa de ressortir, Stanley sur les talons. C'était une chance que sa mère eût été occupée ailleurs. Peter ne tenait guère à lui dire qui était Stanley, et encore moins à endiguer l'inévitable flot de questions qui n'eût pas manqué de suivre.

De l'autre côté de la rue, Marv était déjà au travail, et une escouade de gamins du quartier, visiblement pleins d'espoir et déjà en maillot de bain, observaient avec intérêt le déroulement des opérations.

— Alors, ça marche ? demanda Peter.

Marv semblait content de lui.

— Cette fois, je crois que j'ai trouvé. Regarde, là, dans ce coin. Tu vois, là où ça fait saillie ; il y a un petit trou, là, juste en dessous, et nous ne l'avions pas vu. Je suis persuadé que c'est par là que ça fuit.

— Je peux enlever mes chaussures ? demanda Stanley, que la vue de ce petit fond d'eau tentait irrésistiblement.

— Je pense que oui, dit Peter.

— Qui c'est, ce petit ? demanda Marv en relevant les yeux.

— C'est Stanley... Oui, le frère de Veronica...

— Ah. Salut, Stanley ! dit Marv, en se replongeant dans l'inspection attentive de sa maçonnerie.

Stanley retira sandales et socquettes et sauta à pieds joints dans le fossé cimenté. Il n'avait plus du tout le hoquet. Au bout d'un moment, il ressortit du fossé, traversa le petit pont, et s'en alla explorer le cellier.

— On va bourrer ça de gravillons, décida Marv, sûr de son diagnostic, et on cimentera par-dessus...

— On pourra nager, aujourd'hui ? demanda l'un des gosses du quartier.

— Tu vas bientôt remettre de l'eau ? voulut savoir un autre.

— Pas aujourd'hui, dit Marv en riant. Faudra attendre que le ciment sèche. Dans quelques jours, oui, en principe, vous pourrez vous y baigner.

Une partie de la bande s'en alla chercher fortune ailleurs. D'autres rejoignirent Stanley au sous-sol. Pour les enfants du quartier, tout

228

l'été, la maison de Marv était un point de ralliement ; on en retrouvait partout : dans le fossé cimenté, qu'il fût à sec ou plein d'eau ; dans le cellier du sous-sol, et jusque dans l'arrière-cour, où les constructions de Marv, terminées ou en cours, donnaient à l'endroit tout l'attrait du plus merveilleux des terrains d'aventure. Les aires de jeux municipales et autres parcs d'attractions ne soutenaient pas la comparaison. Marv ne semblait jamais importuné d'avoir toute cette marmaille à ses trousses... Peter, qui regardait pensivement du côté du cellier où avait disparu Stanley, éprouva soudain de se confier l'envie à lui.

— Marv, dit-il, je voudrais te parler de quelque chose...

— Vas-y, dit Marv, toujours penché sur le fossé, et explorant des mains la maçonnerie, comme un chirurgien le ferait d'un patient.

— Tu sais que Veronica et moi ne sommes plus amis, mais je crois que je ne t'ai jamais dit pourquoi.

— Oh, j'ai pensé que vous vous étiez disputés, ou quelque chose comme ça, dit Marv en redescendant au fond du fossé pour mettre le nez directement dans la zone supposée malade.

— Tu veux savoir ce qui s'est passé au juste ?

— Raconte.

Les mains de Marv tripotaient la muraille à l'endroit crucial.

Et Peter raconta. Et toutes ses vieilles rancœurs lui revinrent en cours de récit, à son grand désarroi, d'ailleurs, car il pensait en avoir fini. Il expliqua à Marv combien sa mère détestait Veronica sans même la connaître, comment son père s'était en fait tenu en marge de la polémique, et quelles misérables semaines il avait endurées juste avant sa barmitzva.

Marv approuvait tout en travaillant ; il émettait de temps à autre des « oh » et des « ah », et de petits claquements de langue compatissants.

Puis Peter dit que cela n'avait pas encore été le pire. Le pire, il était venu de Veronica ; elle l'avait trahi, elle avait réduit à l'absurdité le long combat qu'il avait mené...

— Ah bon ? En quoi faisant ? demanda Marv, sans lever les yeux de son travail.

— Elle n'est pas venue.

Peter se tut abruptement et guetta la réaction de Marv.

— Allons bon, dit Marv. Et alors ?

— Alors c'est tout. Elle n'est pas venue. Elle n'a pas montré le bout du nez.

Marv interrompit son travail et regarda Peter.

— Et pourquoi ? Tu le sais ?

— Oh, elle m'a dit qu'elle avait eu le trac. Qu'elle détestait les fêtes et les grandes réunions, que c'était ça qui lui donnait le trac. La vérité, c'est qu'elle s'en fichait. Voilà la vérité. Tu parles d'une amie ! Même pas fichue de prendre la peine de venir, après tout le mal de chien que je m'étais donné à obtenir de mes parents la permission de l'inviter ! dit amèrement Peter. Et il attendit de nouveau la commisération de Marv.

Mais Marv dit seulement :

— Peut-être que c'était vrai, qu'elle avait eu le trac ?

— Et alors ? Quelle différence ? Tu ne comprends donc pas que si elle avait eu vraiment le sens de l'amitié, elle l'aurait surmonté, son trac ? Et puis d'abord, ça rime à quoi, d'avoir le trac pour venir à une fête ?

— Je ne sais pas, dit Marv. Mais c'est peut-être vrai quand même.

— Mais enfin ! s'indignait Peter. Tu ne comprends donc pas ? Après tout ce que j'avais surmonté, moi, elle ne pouvait pas surmonter sa petite peur à elle ? Tu ne comprends pas ça ?

Marv cligna les yeux sans répondre. Il s'absorba de nouveau dans son travail de réparation. C'était bien typique de Marv : impossible de l'entraîner dans une discussion. Sur ce point-là, il ressemblait bien à sa mère.

— Tu ne vois donc pas comme c'était moche de sa part ?

Marv se retourna, jeta un coup d'œil à Peter puis porta son regard ailleurs.

— Je crois que nous allons manquer de ciment, dit-il, l'air mal à son aise. Je ferais bien d'en préparer d'autre.

Il s'extirpa du fossé et disparut dans le sous-sol. Et Peter comprit, tout à coup, ce que Marv pensait visiblement de toute son histoire, sans vouloir le lui dire.

Il s'assit sur le rebord du fossé. Il n'y avait pas de doute possible : Marv estimait que c'était lui qui avait eu tort, et que Veronica n'avait rien commis de si criminel après tout. Elle était grande et gauche et mal dans sa peau, et les mondanités lui faisaient peur. Et quand on a pour ami quelqu'un qui est gauche et mal dans sa peau, et qui a horreur

des mondanités, eh bien il faut faire avec et s'en arranger ; ou l'on n'est pas vraiment son ami. Dur constat.

Peter poussa un soupir interminable. L'été n'en finissait plus, et il était las de faire jour après jour les mêmes choses. Si Veronica avait été ici, peut-être serait-il retourné chez elle avec Stanley, pour essayer de rattraper la situation. Il lui aurait dit : « Oublions ce qui s'est passé. Tu es comme tu es, un point c'est tout. J'ai peut-être eu tort de le prendre de si haut, oublions tout maintenant. Tu vas chercher tes patins ?... »

Mais Veronica était loin d'ici. C'était vraiment trop bête. Il se sentait tout à coup déborder d'indulgence et de générosité. Pauvre Veronica trop grande et maladroite ! Que les autres se moquent d'elle, si ça leur chantait, et même de lui, grand bien leur fasse ! Lui n'aurait plus aucune rancœur. Et il le lui dirait sitôt qu'elle serait de retour...

Que c'était bon de se sentir débarrassé de toute rancune, et de réserver sa colère à de plus justes causes ! Brave vieux Marv. Avare de paroles, mais sage à sa manière. La leçon qu'il venait d'enseigner à Peter avait toute été contenue dans son regard : oui, il faut prendre ses amis comme ils sont, méditait Peter non sans quelque délectation à savourer sa nouvelle sagesse. D'autant plus que (qui sait ?) il avait là peut-être une sorte de mission ? Peut-être l'aiderait-il à se sentir moins mal à l'aise au milieu des autres ? Peut-être pourrait-il l'entraîner, progressivement, parmi eux, peut-être aussi lui suggérer quelques petites améliorations à apporter à sa personne ? Oh, sûrement, il pouvait faire beaucoup pour elle, et il le ferait. N'est-ce pas justement, après tout, à quoi doivent servir les amis ?

Le programme était réconfortant, et Peter, d'avance, s'en sentait devenir meilleur. De bons souvenirs, du coup, lui revenaient en mémoire. Elle avait ses bons côtés, elle aussi, après tout... Et Peter, tout à coup, crut sentir le vent de la vitesse à ses oreilles et les cahots du sol sous ses patins.

C'était décidé. Il se réconcilierait avec elle dès le jour de la rentrée. Son seul regret pour le moment était qu'elle ne fût pas déjà là. Il lui tardait si fort de voir la tête qu'elle allait faire, quand il lui dirait qu'il n'était plus en colère...

14

— Eh ben, dis donc ! disait Frank, comme ils longeaient le hall pour se rendre en classe d'anglais. Tu as vu Veronica ?

— J'ai failli en tomber à la renverse ! répondit Paul.

Bill lui-même s'en trouvait à court de quolibets.

Peter était désemparé. Il était venu en classe bien résolu à parler à Veronica dès que possible. Il l'avait cherchée des yeux en traversant le parc, mais sans succès. Et c'est seulement une fois en classe, quand elle avait franchi la porte, qu'il l'avait revue pour la première fois depuis la fin de l'année scolaire précédente.

Ce n'était plus la même Veronica. Elle avait les cheveux coupés courts, le visage fortement hâlé, et ses yeux semblaient bien plus bleus qu'il ne les lui voyait dans son souvenir. Là-dessus, elle était vêtue d'un sweater rose et d'une jupe qui lui allaient parfaitement. Du rose ! Veronica Ganz en rose, comme n'importe quelle autre fille ! C'était d'ailleurs à quoi elle ressemblait : à une fille comme les autres.

La seule chose qui n'avait pas changé, ce fut la façon dont elle prit place en classe : sans regarder personne, avec cette expression de gêne qu'elle avait toujours eue. Mais en réalité, même cela avait changé, finalement. À la récréation de midi, au moment où il la regardait, seule comme toujours, de l'autre côté de la cour, et juste comme il se demandait s'il n'allait pas tout de suite tenter de lui parler, il vit Lorraine Jacobs s'approcher du banc où elle était assise et s'arrêter pour lui parler. La seconde d'après, Lorraine s'asseyait à côté d'elle, et bientôt tout un groupe de filles faisaient cercle autour du banc.

Le lendemain matin, dans le parc, elle faisait le trajet avec d'autres filles. Et le surlendemain aussi.

Veronica Ganz n'était plus la même et pourtant, après quelques jours de commentaires ébahis, il semblait que tout le monde eût admis ce changement comme un phénomène naturel, au point que personne ne semblait plus se rappeler qui elle avait été — personne, sauf Peter, qui n'en revenait pas. Et lorsque, le jeudi, il vit Bill et Veronica rire ensemble dans le couloir, il se retourna pour voir si personne, derrière lui, ne partageait sa stupéfaction. Mais il était clair que nul ne voyait là de prodige.

Seulement, maintenant, que faire ? Il tenta de lui sourire, de rencontrer son regard, de trouver une occasion de lui parler seul à seule. Mais elle évitait manifestement de le regarder. Il songea à aller chez elle, mais se trouva des tas de bonnes raisons pour reporter cette démarche.

Revint enfin le vendredi, ce vendredi naguère si spécial pour tous les deux... Il décida ce jour-là que s'il n'arrivait pas à lui parler au collège, il se rendrait chez elle, aussitôt après la classe, et, cette fois, il lui parlerait.

Mais il avait le sentiment désagréable que la situation était devenue beaucoup plus compliquée que prévu. La façon, par exemple, dont elle s'entendait tout à coup très bien avec tout le monde dans la classe ; n'était-ce pas là son vœu le plus cher, celui même qu'il avait espéré contribuer à réaliser ? Mais pourquoi donc, en ce cas, se sentait-il si misérable quand il la voyait rire et bavarder avec tout un chacun ? Il essaya de se persuader que c'était uniquement parce qu'ils n'avaient pas encore fait la paix entre eux deux, que ce pincement au cœur disparaîtrait dès qu'ils seraient réconciliés et qu'au contraire tout serait encore meilleur qu'avant. N'était-ce pas la meilleure des choses, que de la voir ainsi très à l'aise, et parfaitement intégrée au restant de ses camarades ? Non, non, sûr et certain, il ne pouvait pas souhaiter la voir redevenir comme avant, mal fagotée et seule dans son coin. Non, c'était insoutenable, des pensées pareilles. Mais alors, pourquoi ruminer ?

Allons, dès aujourd'hui il tirerait tout cela au clair. Il lui dirait qu'il n'était plus fâché — oui, mais après ? La suite n'était plus si évidente, tant les choses avaient évolué. C'était bien là le hic.

Mais il n'eut pas à se rendre chez elle, finalement, car elle le prit de vitesse. Elle l'attendait, ce vendredi matin, juste devant chez lui. Elle était là, devant lui, quand il ouvrit la porte, et il la salua chaleureusement :

— Oh, Veronica, salut ! Je suis bougrement content de te voir. Je voulais justement aller chez toi cet après-midi. J'ai à te parler.

— Moi aussi, j'ai à te parler, dit-elle. (Ses yeux bleus étaient de glace.) C'est pour ça que je suis ici. Passons par la Troisième Avenue pour ne pas être dérangés.

— Riche idée ! s'écria Peter. J'ai des tas de choses à te dire.

Ils commencèrent à marcher côte à côte. Peter lui jeta un coup d'œil en biais, et put constater avec satisfaction que son hâle commençait déjà à pâlir légèrement, bien qu'il eût encore un éclat insolite. Pas un bouton ne manquait à son sweater rouge, et sa jupe bleue avait de jolis plis bien nets. Ses socquettes étaient de la même paire.

Plutôt mal à l'aise, il se demandait par où commencer, mais elle ne lui en laissa pas le temps.

— Je voulais te parler, dit-elle sans le regarder, parce que j'ai dans la tête deux ou trois choses qui me turlupinent et que j'aimerais bien que tu saches.

Sa voix était froide, chaque mot bien net et détaché des autres, comme si elle avait répété sa tirade des quantités de fois, comme un acteur.

— La dernière fois que nous nous sommes parlé, poursuivit-elle, je m'étais excusée pour ne pas être venue à ta barmitzva...

— Oh Veronica, coupa Peter, ne parlons plus de cela ! Je voulais justement te dire...

— Une minute ! dit-elle, péremptoire. Laisse-moi terminer, et ensuite tu pourras parler, et dire tout ce que tu voudras.

Peter se résigna piteusement. La conversation ne prenait pas du tout le tour prévu.

— Bon, je disais donc, reprit-elle de la même voix détachée, que je t'avais présenté mes excuses. Et ce que je veux te dire aujourd'hui, c'est que je ne regrette qu'une chose, c'est de m'être excusée, justement...

Elle se tourna vers lui, le regard enflammé.

— ... Parce que je ne te devais aucune excuse. C'était toi qui m'en devais. C'était toi qui étais en faute, et pas moi, c'était toi ! Je ne t'avais jamais demandé de remuer ciel et terre et de te battre avec ta famille pour m'inviter à ta barmitzva. Je ne savais même pas que tu te donnais tout ce mal. Et si tu m'en avais parlé, je t'aurais dit de laisser tomber, parce que je n'avais pas envie d'y aller. Je déteste ce genre de choses, ces réunions où je ne connais pas les gens. Et si tu avais vraiment été mon ami, comme tu le disais si bien, tu aurais tenu compte de mes désirs et non pas des tiens. Et je veux te dire autre chose, encore : peut-être que tu te disais que tu étais un héros, combattant vaillamment les préjugés et tout le reste, mais tu ne faisais pas ça pour moi, contrairement aux apparences ! Tu ne le faisais pas pour moi ! De moi, tu ne t'en souciais pas ! Tu n'y pensais même pas vraiment !

— Comment peux-tu dire ça ! se récria Peter, plus blessé encore que furieux. Comment peux-tu dire que je ne pensais pas à toi, quand j'interdisais à ma famille de te rejeter sans te connaître, quand j'avais même l'intention de renoncer à ma barmitzva s'ils ne voulaient pas que tu viennes ? C'est trop fort ! À qui pensais-je, alors, si je ne pensais pas à toi ?

— À toi-même ! hurla Veronica. C'est à toi que tu pensais ! Au type formidable que tu étais ! Ça n'avait rien à voir avec moi. Que voulais-tu que ça me fasse, à moi, que tu te mettes à dos toute ta famille ? Aucun plaisir, imagine-toi ; et je ne te l'avais pas demandé. On ne part pas en croisade pour les gens qui

243

n'ont rien demandé. On leur demande leur avis d'abord, et moi, tout ce que je voulais, c'était...

Les lèvres de Veronica s'étaient mises à trembler, et elle dut avaler sa salive plusieurs fois avant de pouvoir achever :

— ... c'était que tu sois mon ami, et peu m'importait ce que disait ta mère, ce que disait la mienne ou qui que ce soit. Seulement toi, rien que parce que je n'étais pas venu à ta barmitzva, tu t'es mis à me mépriser et tu n'as plus voulu me parler. Pour un petit détail comme celui-là. Voilà toute la solidité de ta belle amitié...

...Voilà, poursuivit Veronica, qui venait de retrouver son souffle et sa voix pondérée. Voilà ce que je voulais que tu saches : j'ai peut-être gâché ta barmitzva, mais toi tu m'as gâché toutes mes vacances, et même, ce qui est plus grave, tu as gâché la confiance que j'avais dans l'amitié. C'est tout. Je n'ai rien d'autre à te dire, sinon que je retire mes excuses, et que j'espère n'avoir plus jamais à te parler, aussi longtemps que je vivrai.

— Vu ! dit Peter sur un ton mordant. Mais maintenant que tu as placé ton petit speech, je peux peut-être dire un mot ou deux ?

— Je ne vois vraiment pas, dit Veronica impassible et fière, ce que tu pourrais dire qui y change quoi que ce soit. J'ai réfléchi là-dessus tout l'été. J'en suis arrivée à la conclusion qu'en matière d'ami on ne peut pas faire pire que toi.

Des quantités de mots se présentaient à l'esprit de Peter, mais ils refusaient de franchir son gosier. Tous ces beaux morceaux de phrases préparés à l'avance, voilà qu'ils n'avaient plus guère de sens, après ce qu'elle avait dit... À quoi bon lui dire qu'il n'était plus fâché, puisque c'était elle qui l'était ? À quoi bon parler de pardon, puisqu'elle jurait de ne pas pardonner ?

Il posa le regard sur la rangée de boutons étincelants de son sweater et s'écria sur le ton de la boutade :

— Gâché ton été, gâché ton été... Tu n'as pas tellement l'air de quelqu'un dont on a gâché l'été !

Mais Veronica répliqua.

— Si c'est à mes vêtements tout neufs que tu fais allusion, dis-toi bien que ça n'a rien à voir. Il se trouve que la femme de mon père est vendeuse dans un grand magasin, à Las Vegas. Alors, avant notre départ, elle nous a

acheté à Mary Rose et moi des tas de vêtements à moitié prix.

— Mais enfin, dit Peter (sur le ton de l'ac-
cusation, cette fois), tu n'as même plus l'air
d'être toi-même ! Je ne sais pas ce qui t'est
arrivé, cet été, mais tu as rudement changé.

— Je n'ai pas changé du tout, dit Veronica.
Je me suis fait couper les cheveux, c'est tout.
Tu parles ! Et je ne vois pas le rapport avec le
prix du beurre. Tu veux que je te dise ? Eh
bien, c'est trop bête : j'ai fait un merveilleux
voyage, dans un endroit où je n'étais jamais
allée, j'ai revu mon père que je n'avais pas vu
depuis un bail, et sa femme et lui étaient
merveilleusement gentils et ils se sont mis en
quatre pour nous faire plaisir, ils nous ont
emmenées dans des tas d'endroits... Et moi,
pendant ce temps-là, tu crois que j'étais
heureuse ? Tu crois que j'en ai profité ? Non.
Tu sais à quoi je pensais ? À toi. À tout ce que
tu m'avais sorti, et à ce que j'aurais dû te
répondre au lieu de te présenter mes excuses
comme une gourde. Ah, je vous jure !

Elle en grinçait des dents, et ses yeux, de
nouveau, lançaient des éclairs.

— Tu sais, avoua Peter, au bord du désespoir, j'avais vraiment l'intention de me récon-

246

cilier avec toi, avant la rentrée. Et puis quand je t'ai vue toute changée...

— Je n'ai pas changé du tout ! s'écria Veronica.

— De toute façon, s'empressa de dire Peter, ça n'a guère d'importance. Si tu as l'air d'avoir changé, tu n'y es pour rien et ce n'est pas ce que je veux dire. Ce que je veux dire, c'est que...

Il s'arrêta ; ce qu'il voulait dire, il le savait maintenant, oui, c'était en train de lui venir — et il le dit lentement :

— ... Ce que je veux dire, c'est que tu as raison, et j'en suis désolé. Je crois que je ne savais plus trop bien où j'en étais. Je m'étais figuré, sans réfléchir, sous prétexte que je prenais des risques et que je remuais ciel et terre, que forcément toi tu devais me suivre. Mais j'aurais dû te consulter d'abord. Peut-être que tu m'aurais dit que ce n'était pas la peine d'en faire tant, peut-être que je n'en aurais tenu aucun compte, mais de toute façon je n'avais pas le droit de t'en vouloir, si ça ne te disait rien de me suivre là-dedans. Tu es toi et je suis moi, et je tâcherai de m'en souvenir, à partir de maintenant.

Elle eut un petit reniflement, le regard perdu dans le vague. Ils marchèrent un moment en silence, puis Peter reprit la parole :

— Te souviens-tu de la dernière fois où je t'avais présenté des excuses ?

— Oui, dit-elle d'un ton tranchant.

— C'était après que j'eus ligué les autres contre-toi, et j'avais tellement mauvaise conscience que je ne pouvais plus penser à rien d'autre. Mais tu te rappelles ce qui s'est passé ensuite ?

— Non.

— Bien sûr que si, tu te rappelles, lui dit-il avec une douce insistance. Après, nous sommes devenus amis. Alors, si on faisait pareil ? Je te demande pardon, et nous redevenons amis.

— Non, dit Veronica. J'ai peut-être commis une erreur une fois, je ne vais pas la commettre une seconde fois : à présent, je commence à te connaître, je sais quel genre d'ami tu es. Un ami comme toi, ça ne m'intéresse pas.

— Un être humain, ça peut changer, tu sais ? dit Peter. Toi par exemple, malgré tes dires, tu as changé, cet été. Ce n'est pas seulement une question de coupe de cheveux ou d'habillement. Alors ? Comment peux-tu savoir si moi je n'ai pas changé aussi ? Toi qui as l'amitié si généreuse, pourquoi ne me laisserais-tu pas une petite chance ?

Veronica ne répondit rien et ils firent encore, sans hâte, un bout de chemin en silence.

— Je m'étais dit que peut-être, cet après-midi, nous pourrions aller patiner, essaya-t-il de l'allécher.

— Mes patins, je vais les donner. Je ne patinerai plus jamais. Je suis trop vieille. Et d'ailleurs Lorraine m'a invitée à venir chez elle aujourd'hui, et c'est peut-être ce que je vais faire...

C'était un rude coup pour Peter, une vérité dure à admettre, que de savoir qu'il y aurait désormais, entre lui et Veronica, des complications ayant nom Lorraine et autres, et que c'en était terminé de l'exclusivité de naguère. Mais le fait était là, et, cela n'avançait à rien de ruminer là-dessus. Alors il enchaîna, comme s'il n'avait pas entendu :

— Je m'étais dit que nous pourrions peut-être aller voir oncle Jake, et nous faire offrir un ou deux knishes.

Pas de réponse.

— Ou alors aller voir ton oncle.

Pas de réponse.

— Ou patiner jusqu'au fleuve.

Veronica eut un mouvement de tête dédaigneux.

— Ou encore, dit plus doucement Peter qui avait l'impression de jouer là sa dernière carte, nous pourrions aller au cimetière, pour voir s'il faut nettoyer un peu, autour de la tombe de Martin.

— J'y suis déjà allée l'autre jour.

— Tu y es déjà allée ? s'écria Peter, blessé. Sans moi ?

— Écoute, je croyais que tu t'en moquais, maintenant, se défendit Veronica. Et je croyais que tu t'en fichais, de savoir ce que je fais et où je vais...

Il s'arrêta sur place et elle en fit autant. Ils se regardèrent. Peter avait grandi un peu plus vite qu'elle : il lui arrivait maintenant au ras du nez, et non plus au menton ; si bien qu'il n'avait plus besoin de tant renverser la tête en arrière pour la regarder droit dans les yeux.

— Je n'imaginais pas que c'était aussi dur... finit par dire Veronica.

— Qu'est-ce qui est dur ? demanda Peter.

— L'amitié, dit Veronica, perplexe. Avant, quand je n'avais pas d'amis du tout, je me sentais quelque fois un peu seule, c'est vrai, mais jamais de ma vie je n'en avais eu aussi gros sur le cœur.

— Dans ce cas, dit Peter plein d'espoir (tout en mesurant mentalement les centimètres qu'il lui restait à acquérir pour être à égalité avec elle), quelque chose me dit que nous avons encore tous les deux quelques rudes années de souffrance devant nous.

Elle ne répondit pas tout de suite. Mais ils n'étaient pas encore arrivés au collège que chacun d'eux savait déjà, sans équivoque possible, comment ils passeraient leur après-midi.

ACHEVÉ D'IMPRIMER EN JANVIER 1996
SUR LES PRESSES DE L'IMPRIMERIE HÉRISSEY
POUR LE COMPTE DE FRANCE LOISIRS
123, BOULEVARD DE GRENELLE, PARIS

Dépôt légal : février 1996
N° d'imprimeur : 71632 - N° d'éditeur : 26691
Imprimé en France